太陽下山　明朝依舊爬上來

羊憶蓉——著

序一

點亮心靈的刻光銳筆

朱雲漢
中央研究院院士

憶蓉的人生略嫌短促，但她活得清醒、活得帶勁，活得瀟灑、活得精彩。她的筆鋒精銳足以雕刻光影，點亮了無數讀者的心靈；她充滿睿智的短評為我們共同走過的年代留下千百枚的雋永烙印。

她的筆性醇厚，筆力收放自如。她下筆針砭人物時可以一針見血，她沾墨抒情寫意時可以柔弱似水。上天賦予她纖細的第六感，敏銳的洞察力，豐沛的閱歷與見識，與不偏不頗的情理拿捏平衡感。她可以穿越各種題材而游刃有餘，這樣的才華讓她在同輩媒體人中出類拔萃。

她筆下對親情的自然流露，可以讓你熱淚盈眶；對似是而非流行觀念的批判，可以讓人頓時清醒；對社會不公不義現象的剖析，可以讓你義憤填膺；對政治人物荒腔走板言行的諷刺，可以讓人拍案叫絕。

憶蓉在高中時期就是聯合副刊的常客，她的寫作歷程幾乎橫跨半個世紀。憶蓉小我兩屆，我在台大念書時，就聽說商學系有一位文采繽紛的才女，她的成績讓她順利考上第一志願，但她的才氣應該非中文系莫屬，若要滿足她的社會關懷實在該去攻讀政治學。她的夫婿紹樑跟我同屆，我們都在徐州路法學院校園裡摩肩接踵，在大學時代紹樑的學識、才藝與翩翩風度就已經鶴立雞群，在在令人折服。他們兩人在留美期間共譜佳緣，成為我們同學圈中的神仙伴侶。

近日重溫憶蓉留美返台後陸續在報端發表的數百篇散文與短評，彷彿是觀看一部呈現台灣社會與政治轉型的精采紀錄片。過去三十多年，我們一同走過台灣民主轉型的關鍵年代，都曾在解嚴後親身體驗台灣社會多元活力的全面釋放，也都參與過有關憲政改革路線的爭論，並見證引進總統直選後憲政體制如何被抽梁換柱；作為政治評論人，我們也一同目睹首次政權輪替後朝野之間的惡質鬥爭與永無休止的政治動盪，並同樣憂慮國家認同衝突帶來的社會撕裂；作為報刊專欄作者，我們一同經歷過威權時期的言論管制，也曾恭逢報禁解除後文字媒體意氣風發的時代，但也親臨文字媒體陷入低潮與過度商品化的困頓，並眼見新聞媒體專業倫理全面禮崩樂壞，只能興嘆無能為力。

我們一同見證了上個世紀最後十五年歷史大潮流風起雲湧：大陸改革開放、柏林圍牆倒塌、新自由主義思潮風行草偃、互聯網革命席捲全球、經濟全球化與政治民主化勢如破竹。

但也趕上歷史趨勢出現逆轉的大變局：歷史終結論被揚棄、金融危機重創西方資本主義、阿拉伯之春命運坎坷、第三波民化全面退潮、逆全球化政治風暴席捲歐洲，川普動手拆解戰後自由國際秩序。

憶蓉為我們共同經歷過的最美好年代以及最灰暗時刻留下了發人深省的文字紀錄。她筆下的歷史人物原形畢露，從台灣之子到海角七億，她揭穿了許多政治人物的矯作與虛偽。當我讀到憶蓉評論陽明山中山樓上演的修憲鬧劇時：「國代和黨官假修憲之名欺騙民主。但人人都藉此心安理得，因為正在修憲的事實像宗教鴉片一樣安撫了人民對民主改革的要求。」不禁感嘆她的文字魅力追直清代戲曲家孔尚任，正如《桃花扇》中一段唱詞「眼看他起朱樓，眼看他宴賓客，眼看他樓塌了」，傳誦至今仍餘音蕩漾。

可惜憶蓉隨筆已成絕響，黑白集專欄也不會再現她的生花妙筆。我們這些同輩的朋友，仍很難接受她已往生的事實。像她這樣一位如此達觀健談，不讓鬚眉，懂得美食，酷愛旅行，愛貓犬如子，正值鼎盛之秋的多產作家，怎麼可能走得如此突然，如此倉促。或許，這是她謝幕人生最灑脫的方式。

二〇一九年四月十四日伏案於北投大成堂

序二

羊憶蓉給了我們一個座標

聯合報副董事長　黃年

憶蓉到聯合報，給我們帶來了一個座標，和一縷有先驅意義的咖啡香。

一九九八年一月某日，我接到憶蓉的電話，她說想到聯合報的言論部來正式任職。我沒聽幾句，立刻表示歡迎。當時的心情，四個字，喜出望外。

大家看了這本文集，就知道我是如何的求之不得。一九八八年，《聯合晚報》創刊，我是首任總編輯，憶蓉是外聘的兼任主筆，我當然知道她是隻大筆。後來，她在《聯合報》副刊開了「羊憶蓉隨筆」方塊專欄，我也是忠實讀者。憶蓉的思想主體是自由主義、人文主義，又有點小左；文風則是開朗又憂思、俏皮又較真、學院又接地氣。最重要的是，她有一種超然，這是從當年到今日的台灣新聞界所缺少的氣質。

當時的《聯合報》，籠罩在相當緊張的政媒關係中。一九九二年經歷一場鋪天蓋地的退報運動，一九九七年因為發表「修憲，不可毀憲」系列社論五十八篇，使得情勢更形惡化。

在那段期間，報紙像進入狂烈的風暴之中，眼睛看不到什麼是前方，甚至不知道自己心中對前方的猜測是否正確。大霧迷津，大概就是這個狀態。

憶蓉的這通電話，對我來說，好像忽然拾到了一隻羅盤。我告訴自己，像羊憶蓉這樣的人，在今天這個氛圍下，自願放棄好好的教授生涯來參加聯合報言論部的工作，形同在浩瀚的海圖上點出了我們的座標。羊憶蓉這樣的人願意加入我們，我們就不會太孤單，不用太懷疑，也可以不必太害怕了。

羊憶蓉站立的地方，不可能是一個負向意義的座標。

讀憶蓉的文章，很像進入大毛刷洗車機。開始，一定是一潑清水，很容易就入戲。剛定神，肥皂水就迎頭澆下，不乾淨都不行。再來就是大毛刷侍候，伸到毛孔裡頭……。等到被推出機器的時候，鋥亮鋥亮，換來一種心神盪滌的新鮮感。

憶蓉在聯合報的工作表現十分傑出。《聯合報》叫好叫座的社論及黑白集，許多出自她手。後來她出任《聯合晚報》總主筆，成了台灣報業第一位女總主筆。

紹樑兄說得對，「羊憶蓉隨筆」由於不受框限，比她的社論及黑白集更雋永，更有滋味。三十年前的文字，仍能呼喚今日的人性與心情。《太陽下山明朝依舊爬上來》，流露了憶蓉的自由主義與明銳；《媽媽終於可以隨心所欲了》，表現了她的人文主義與溫柔。紹樑兄的這兩個書名取得真好。

憶蓉是當年忠孝東路聯合報十樓唯一喝咖啡的樓友。下班前，她有時端著一杯咖啡來到我的辦公室，談她的自由主義、人文主義和小左，圍繞在咖啡的芬芳中。如今，報社裡頭喝咖啡的人多了，但我仍懷念憶蓉帶給我們的那幾縷有先驅意義及氣質的咖啡香。

序三

我心中永遠的太陽

劉紹樑

這是本來不會出版的一套書，如果三十九年前，太陽沒有爬上來……。

一九八〇年芝加哥的晚秋，我這個窮留學生初遇一位俐落、爽朗、落落大方的新生，就像天空出現陽光。幾經躊躇後，我鼓起勇氣邀她看電影。真傻，還挑男生才愛看的《教父》。她居然答應了！一年多之後，我把這位美女娶回家。返台沒幾年我就很驕傲地確信：我娶的也是一位才女！

民主化與解嚴之後，她投稿的政論引起極大的迴響，甚至震驚政府高層。我就選她一九八八年的代表作〈太陽下山明朝依舊爬上來〉作為第一冊的書名。

只不過是〈青春舞曲〉的第一句歌詞，但她會娓娓道來：台灣未來要靠制度，不要迷信強人；太陽必再升起。

但憶蓉不但文風迅即不變，也改變人生追求的目標。從一九八九年三月開始，她連續約五年在〈聯合副刊〉上，每週用誠摯、自然、時而天真調皮，時而憂國悲時的語調，寫了兩百多篇「羊憶蓉隨筆」的專欄文章。

她挑題目看似隨意，教育、法政（後來越來越不談）、藝術、人文、親情，無所不談；淡淡的文理中，總有一個呼之欲出的訴求。但她從不對讀友說教，只謙虛地自省、探討。

作為小編兼家屬，她的隨筆我當然先睹為快。她雖也寫學術論文、社論、民意論壇與黑白集，但我堅信這些隨性、真誠的散文是她最雋永的作品。

憶蓉無意寫歷史。但本書依時排序，很自然地重現隨筆當年的時空背景，也反映一些三、四、五年級生的集體焦慮與期待。時間的沉澱也絲毫沒讓它們褪色。

憶蓉早在一九八九年的隨筆中就已描述對隨心所欲的嚮往。近年她反璞歸真，體驗人生。數年前岳母去世，悲慟不已的她在聯合副刊發表了〈媽媽終於隨心所欲〉一文，同樣打動許多人心。但與三十年前的政論不同，她只著重家人、親情與友情。

雖然紀念母親，她其實也在寫自己。在她二月十六日驟然往生以後，我一再捧讀這篇收官之作，從溼糊的淚眼中體會更深：這聰慧的女子早已預寫好輓歌。文集的第二冊就名為「媽媽終於可以隨心所欲了」。

這冊書名另有深意：我倆多年來寵養犬貓十數隻，多為流浪漢，半數也已升天。我也想告訴剩下的毛孩子們：媽媽沒拋棄你們，只是隨心所欲瀟灑而去，在彩虹的彼端，無罣礙地帶著你們的同伴，等著我們。

多年來我勸她恢復隨筆或集結出書，留些雪泥鴻爪。她就微翹著嘴，眨眨大眼睛，說「世上還有更重要的事呢」把我打發。

我在頭七之夜抄完一遍《心經》，就鐵了心決定：這回換我作主。心虛回首看著她的遺照，仍是微翹著嘴，好像說：「你這個隨和的人居然這麼堅持，那依你，就隨心所欲，幫我出書吧。」

感謝聯合報系與聯經出版公司，促成本書在她往生百日時出版，功德圓滿。

二〇一九年五月於台北

目次

楔子

太陽下山明朝依舊爬上來

——談強人與制度

由於新內閣名單帶有相當的「總統色彩」，最近大家紛紛談論起強人與制度的問題，甚至有關總統制、內閣制的爭議又熱鬧起來。其實「強人」不是不好的字眼，但此時此地大家似乎有一個解不開的「強人情結」：經國先生去世，輿論一方面推崇他生前的強勢領導，一方面期望強人政治的時代就此結束；李登輝先生繼任總統，大家一方面希望見到「萬眾歸心」的氣勢，一方面對新的強人領導有所疑慮。李總統於是公開表示他不喜歡當強人，目前制度的建立應重於一切。強人與制度之間的平衡，為什麼對中國人形成如此一個難題？民主與道德的貫通中國的政治文化，從來便十分信仰和依賴領袖個人的權威。事實上，今天治理現代化國家需要專門知識，具備這種專家知識的精英分子執掌政權，發生比一般平民巨大的影響力，這種精英主義的理想十分順理成章。但是，政府和人民的關係不是單行道，當強有力的政府領導中心對民間社會發揮影響力和控制力，人民不免有所要求和疑問：怎麼樣避免政府的控制成為單向而無法駕馭的？人民是否具有對等的反制機能，以防止領袖個人的影響力過度膨脹？這些便牽涉到我們所關心的民主制度的問題。

從傳統的中國文化來看，對政治領袖的制衡並非全無需要，但由於領袖的政治行為多半是個人道德生活的延長，這種制衡需要似乎又成了過慮。基於「內聖外王」的理想，領袖不但在能力方面是強人，在道德上也是聖人，必然由於個人的道德自覺而行德政，而「德治」自然保證了人民的福祉。所以中國學者常談到民主與道德貫通的必要。西方政治思想主流則不大相信現實的政府可能實行那麼完美的德治，自彌爾以來的自由主義論者，多半強調要以一套程序上的限制例如一人一票，三權分立等，來約束政治核心的權力，並認為如此才有實踐真正民主的可能。

有趣的是，社會學的交換理論也討論過類似的兩難局面。布勞指出，一個組織的領導者當然希望儘量擴大他對成員的控制力，但若要保障領導地位的穩固有效，則必須爭取成員的社會認可。換句話說，領導者要儘量發揮影響力，但其地位的合法性（legitimacy）卻由成員授權而來。這種局面正是國父所說的「政府有能，人民有權」，但這種均勢並非憑空或受虛無縹緲的道德約束而得來的；而是，依照交換理論的解釋，基於利益的考量而生出互惠的交換。老百姓不會平白接受政府的單向控制，民主的關鍵在於是否從制度上設計制衡的機能，以便在「政府有能」之外兼顧「人民有權」。權力交換情勢不變我們看台灣的例子，政府播遷來台之後，由於國家安全的顧慮，政治核心的權力十分擴張。除了戒嚴令所賦予的種種軍事強制力之外，政府掌握了資訊管道，成為訊息及知識權威；強調外在危險，加強了人民的認同及依賴；另外，《動員戡亂時期臨時條款》則賦予總統個人極高的權力。我們可以說，那是一個有意鞏固政治強人的時代。

相形之下，當時民間社會並沒有充分發揮制衡作用的機會。雖然有一人一票的選舉，但大環境不存在政黨政治的氣候，老百姓的選票籌碼並不十分有力，而不合理的國會結構不能反映真正的民意，民意很難影響政治核心的作為。不過，從交換的角度看，當時國家的確處境危急，老百姓十分依賴政府提供生命財產安全的保障，因此這種權力交換自有其存在道理。

但是環境在改變，政府原先掌握種種強制力的條件不再存在，政府和人民權力分配的局勢，在這幾年中發生了下列變化：

——解除戒嚴，政府的軍事強制力縮減；而民間能發揮制衡力量的言論自由、集會遊行等基本權利恢復了。

——民進黨成立，打破政治壟斷局面，發生監督執政黨的作用；更重要的是，民間因為有了選擇機會而使得選票的籌碼加重；這點從國民黨積極部署明年選舉及市長民選的動作看得最為明顯。

——民間財富及知識增加，使得「社會力」高張，對政府依賴減少；相對地，政府對人民的控制自然減弱。需要一套制衡規則這些事實，說明兩點道理。第一，政府和人民的交換必須是平等互惠的，我有能力影響你，你也有能力約束我。不可能長久容許「政府有能」卻禁止「人民有權」。

第二點更重要的是，政黨競爭、投票選舉、言論自由等等民主程序的「制度化」，對實踐民主絕對是最起碼的必要條件。蔣經國先生在他對台灣的領導歷程當中，尤其逝世前兩年，的確做到了「賢人政治」所期望的能者多勞，以及在權力上自我節制。但是，我們不得不承認，把民主託付給少數領導者的道德自覺是不夠保險的。唯有落實在制度上來維護人民的制衡能力，才可保民主的長久實現。我們並不必然反對政治上的強人和強勢領導。一個政府的權力中心，如果合法性受到人民認同，專家領導受到人民信賴，則這種領導地位自可穩固。事實上，今天我們政府所缺乏的公信力和公權力，正有賴政府重新掌握這些「規範性權力」才可能恢復。

既然要求精英執政，要求適才適用的領導中心，就是期望政府對民間發揮專家領導的影響力，以贏得民心認同。只不過民間也要有對等的制衡力，才可免於政府的單向控制。關鍵仍在於到底要把民主寄託於領導者的責任自覺，或交由制度來保障。個人寧可信任一套清楚的制衡規則，一套不因人而異的法治程序，一套在憲法保障下不受曲解的民主機制。每當我思考強人與制度的問題時，總是想起「太陽下山明朝依舊爬上來」這句歌詞。這句話給我幾個聯想。一是天地萬物依照一定規則運作所呈現出的秩序，以及這種「可預期性」帶給眾生的安定與信賴感覺。但另一方面，我也想到生命無常及個人的渺小。沒有任何一個強人可以偉大到像太陽一樣，光被寰宇永恆照耀。個人起落原不足道，但政治上如果過分依賴個人領導，將如裴魯恂（Lucian Pye）所描述的，老百姓「人人心中都有人存政舉、人亡政息的心理準備」。

如果我們希望見到民主法治在台灣生根，希望見到「太陽下山明朝依舊爬上來」而非「人亡政息」，則必須建立起一個不為任何個人所左右的法治傳統。強人與制度之間的平衡點在此，我們尋求國家長治久安的唯一出路也在於此了。

一九八八・八・十四／聯合報／〇二版／國內要聞

太陽下山
明朝依舊爬上來

羊憶蓉隨筆
I

保護色的聯想

很多動物具有保護色，身體顏色和環境類似，以形成保護作用，不易被敵人察覺。動物為了生存，千方百計去適應環境，正是「適者生存」的道理。

我們的社會裡，也有不少人終日披著這種保護色，而且隨時依環境而調整。這種本事多半是為了應付生存壓力而練就的，就連一些形象比較超然的行業也不得不有「識時務者為俊傑」的體認，環境怎麼要求自己就怎麼反應。一位記者朋友提到有一次向學者邀稿，這位教授反問報社希望他怎麼寫——是要左還是要右呢？（什麼正當令？）這種適應環境的本事，在身具保護色的動物面前，也不遑多讓！

說起來適應有什麼不好，不是適者才能生存嗎？但是喜歡討論文化的李亦園先生卻說過一段有趣的話，他說生物進化最重要的原則，不是最適者，而是適者。一個文化假如極端地適應，就走上一個特化的路，是相當危險的。更有趣的是史學家湯恩比也說過類似的話。湯恩比把人類文明分為成長的文明、夭折的文明和癱瘓的文明。其中癱瘓文明的特點是只能適應環境，並且在適應的前提下有過驚人的成就，但他們未能在適應環境的過程中去改造環境，他們在反應一次挑戰後便只能適應而不能創造了，最後走上倒退或滅亡的路。

人比起一般生物的不同之處，在於多數生物只能改變自己去適應環境，人卻有創造文明的能力。捨棄這種能力而一味遷就環境，縱然能生存恐怕也是漸往退化的路走。但是今天的社會裡競爭如此慘烈，很多人不得不推銷「保護色」的哲學，改變自己的顏色去配合環境的要求。於是社會上充滿大批見風轉舵、明哲保身的人。這些人不能不說具備了適者生存的本領，但是把自己變得「最適」，除了適應之外一無所長，不免喪失了人主動自主的能力，在文明發展過程中很難稱得上是個成功者。

我們預測世界未來發展的趨勢，不管是走向多元化、資訊化、國際化，還是自由化等等，總是一個求新求變的社會。文明的進步，正賴人類厭棄現有環境的約束而力求開拓生機。可惜的是，我們今天的社會對於安於既有格局的人多所安撫，對於色彩鮮明、勇於創新的人卻吝於鼓勵，以至於社會上一片唯唯諾諾之聲，一片灰灰暗暗的保護色。文化的發展如果以「適者生存」來自限，究竟是進步還是退步呢？

一九八八・一・十七／聯合報／二三版／聯合副刊

教育為的是什麼?

前幾天從「小耳朵」看日本NHK的節目，正好播出大陸導演陳凱歌在日本的記者會，介紹他的電影《孩子王》，講的是一個大陸青年下放到地方上教書受挫折的故事。陳凱歌說，他感覺到的教育問題有兩種，一種是師資設備一類的，另一種是「教育為的是什麼」。

教育為的是什麼？大鬍子的陳凱歌這樣問的時候，我嚇了一跳，因為這個問題熟悉又陌生。很久以來，我們談改進教育，總在「教什麼」、「怎麼教」一類的技術問題上面打轉。今天一個電影導演這麼直截了當地追問「為什麼」，我想很多教育工作者會和我一樣，感到無言以對的窘迫。其實，就像哲學家總是探問「人生的終極目的」，教育學者不是沒有思考過教育的最終目的這個問題，而且有過不少爭論。一個有名的例子，是在爭論人是陶土還是植物：教育的目的，是把人當作陶土一樣去捏塑，使合於社會要求的理想模型，或者應該任人像植物一樣自然生長，師長從旁澆水施肥也就夠了？

這個問題雖然有不同主張，但不少人心中還是有定論的。比較偏重人文主義理想的人，多半會強調人的自主性，因而主張「植物說」。不過，在現實環境壓力下，這個理想不容易實現，甚至在「陶土理論」下，為了決定塑模人的標準模型，還會牽涉不少權力分配的精心設計。

和我年齡相若的朋友，多半開始熱衷交換教養孩子的心得。我每次聽見做父母的談起如何費盡心神栽培孩子，就忍不住提出「陶土還是植物」的比方，想要委婉暗示我的想法，可惜總不太成功。一位母親就興高采烈告訴我：「這個比喻真對！我就常常感覺我的孩子是一塊軟軟的土，我要努力把他捏成我希望的樣子。」

就是類似心態，使得我們教育制度下出來的孩子，沒有什麼自主性格，既不知道為什麼學習，也不主動追求多樣化的學習途徑。師大教育學院前面的草坪上，常常有人在丟飛盤或者跟狗玩，卻以語文中心的外國學生居多。我每次看到都心生感觸，常常鼓勵我的學生，接觸不同的文化，選擇不同的生活方式，乃至偷閒晒晒太陽，都是滿好的人生經驗，應該勇敢去嘗試。可惜學生總是回報我一個安靜的微笑，彷彿我說的故事反正與他們無緣。

學生溫順馴服慣了，所以當校園裡漸漸冒出所謂的「民主活動」，師長們感到吃驚。其實，學生抗爭的重點，根本不出大社會環境裡爭取民主自由的潮流，距離知識分子理應領導思潮的境地還遠呢！

感嘆學生怎麼不聽話的人，恐怕是陶土論者，對於年輕孩子任意伸張枝枒不表贊同。不過，教育的目的如果就是要人聽話，豈不專在培養諾諾之輩?那麼，歷史期望於知識分子的諤諤言論要從何而來?陳之藩說:「上上下下全是唯唯否否，看一人的顏色，試一人的脾胃。世界上那有富強康樂的國家是由一群奴才建造得起來的。」三十多年前這樣疾言厲色的指責，到今天仍然教我們慚愧。

初春時分，正是萬物孳生的季節。這麼暖和的天氣裡，適宜把自己種在草地上，像春天的樹一樣奮力發芽，像木棉花一樣怒放。享受過陽光下舒展自我的滋味，再回頭問一次，究竟教育為的是什麼，會不會有另一番感想，另一番答案?

一九八九・三・二十一／聯合報／二一版／聯合副刊

乍暖還寒

春天真惱人，剛剛才暖和，一陣陰雨過後，又讓人感覺春寒料峭。天氣變了，四周景致也變，看在眼裡，心情感受隨之而變。滿街滿校園的杜鵑花，正盛開絢麗至極，但一陣驟雨之後，馬上顯出凋零的姿態。木棉花燦爛如陽光，但襯在灰暗的天空背景之下，竟給人一種落日餘暉、好景不常的聯想。難怪詩人感時而歎，乍暖還寒時候，最難將息！

看人情世事，難免也有類似感受。在寒冷的冬天待久了，感官也許就冰凍麻木了；但如果明明已經接觸過春天，心中竄動著躍躍欲試的生機，再受到抑制斲傷，會格外覺得峭寒難耐。所以我們常常說，不要給人希望之後再教人失望。玩愛情遊戲的男女大概最常聽到這類教訓。

所有其他人間事，其實都是一樣道理。大部分經過社會主義革命的國家，在「解放」初期，都有過短暫的春天，都營造過炫目的假象。隨之而來的緊縮強制手段，也就格外讓人覺得受騙。最近在台北流行的一本捷克作家昆德拉的小說《生命中不能承受之輕》，反覆出現遊行的喧譁與安靜淡漠心情的對比。當昆德拉平靜地說，「這一切都發生在一九六八年春天」，我們才恍然，一九六八年的布拉格何嘗有過春天！

中國人的命運，好像也免不了這種折磨。很多人不能理解，文革期間那種毀滅性的熱情是如何激發出來的，幻滅的心情到今天仍修補不起來。鄧小平的改革，使很多人慢慢又燃起希望，尤其近一兩年，大陸知識分子言論和行動的空間似乎比以前寬闊一些。但有人若以為民主的春天就此到來，則未免太過天真。看看方勵之受到的野蠻待遇，人權運動受到官方公然撻伐，好像曙光乍現卻又被熄滅一樣教人失望。

台灣是寶島，四季如春，好像從不知寒冬凜冽。不過，讀一讀最近幾個報紙副刊連載的雷震入獄前後日記，想一想一個知識分子的境遇，僅僅因為政治理念不同而受到嚴酷對待，我們不得不承認，台灣的政治氣候並非向來陽春和煦。好在解嚴以來，漸漸現出百鳥齊鳴、百花爭放的景象。但有些習慣於沉寂冷淡氣氛的人卻十分不能適應，社會上不時出現回復舊秩序的呼聲，凡是向舊秩序挑戰的行動也被冠上同一類罪名。

最近馬赫俊神父被強制出境的事件，輿論焦點中在「民族尊嚴」、「崇洋媚外」、「政教分離」一類話題。其實這個事件真正的表態在於對群眾運動的壓抑和警告。參加群眾運動，首先就被社會傳統界定為擾亂秩序和不受歡迎的。的確，街上每天有人吵吵鬧鬧，真不是什麼團結和諧的氣象。但是，社會秩序如果專為維護某一特定階級的利益而設定，那麼，弱勢團體可以有什麼途徑來爭取社會正義？我們的社會，提供給強勢和弱勢團體的待遇和社會資源如此懸殊，難道真是在實踐歐威爾的名言，「所有動物生而平等，但有些動物比別的動物更平等」？

自由民主，人權平等，絕對是全人類共同嚮往的春天。嘗過這種滋味的人，永遠不會甘願再受嚴寒禁錮。我們希望，乍暖還寒之後，終於能夠留住春日駐足。

一九八九・三・二十八／聯合報／二七版／聯合副刊

和成年人談兒童節

今天是兒童節。就像婦女節必要倡議兩性平等，青年節呼籲效法黃花崗烈士精神，母親節歌頌母愛的偉大；毫無例外地，今天的兒童節又要在一片「兒童是國家未來的主人翁」的期許聲中度過。

這正是兒童的煩惱來源吧，總在成年人的「設計」之下長大。很多人強調人生而為人的自主性與自發性，人的尊嚴也的確不該拿實驗室裡的白老鼠來相提並論，但仔細觀察人的行為，卻不能不承認受到環境操縱影響的痕跡。專家研究教養方式，發現父母親是否定時餵食，乃至幾小時餵食一次，不但影響嬰兒的生理習慣，甚至會影響孩子的性情。習慣每四小時吃奶一次的嬰兒，到了四小時就自然感覺餓了，可見後天教養的影響力多麼驚人。

連肚子多久餓一次這種看來十分「生物」的習性，原來都有後天調教的痕跡，則孩子其他應對進退的社會行為，受到父母親「操之在我」的影響力就更明顯了。在孩子天真的心目中，對「主人翁」一類的定義恐怕不見得了解真確，但這種父母的期望卻如影隨形，就像小學生的書包一樣，越來越重，越來越大，變成孩子成長經驗中最沉重的一個負擔。

我小時候也聽多了將來要做國家棟梁一類的期許，而且和很多人一樣，在作文本上寫過將來要當總統的志願。現在回想起來，雖然不能說兒時承受的讚美期許是謊言，但漸漸察覺出，師長的期望往往只是成年人未完成心願的一種投射。我有一個朋友，小時候家庭環境不好，長大後總在玩具店門口流連，對子女的要求則百般設法滿足。這類故事其實十分典型，說明孩子的教養都是父母心願的縮影。

這種教育方式，對孩子是不是真的公平？今天的成人對孩子有很多意見，有些認為現代兒童太享福了，物質環境如此優渥還不知滿足，並且怪罪他們不如上一代能夠吃苦。有些則慨歎現代兒童太可憐了，不但功課沉重，而且終日只能與電視和塑膠玩具為伍，失去了我們曾經有過的親近自然之樂。這些評語，其實都是根據成年人自己的童年經驗來為今天的兒童作判斷，有時甚至強加矯治，恐怕是太武斷而忽略了孩子本身的感受。我自己幼年時候，看過母親燒煤球，一位同齡朋友還堅稱他曾經劈過柴。這些故事不過發生在二十多年前，今天談起來已經像是天寶年間的舊事了。我有一次老氣橫秋拿這些事教訓學生，看見他們偷笑的表情，正和我每次聽父親說抗戰期間窮學生爭吃豬油渣的故事是一般感受。我除了歎氣自己這麼快也開始和年輕一輩有了代溝，同時還想到，心理學家常講「同理心」，建議人際往來要多為對方設身處地著想，卻不知有多少成年人會提醒自己，也以同理心對待孩子？

成年人把自己的經驗和心願籠罩在兒童身上，雖是文化傳承，但如果過度，卻也可能抑制更新的創意。所以兒童要做國家未來的主人翁，先也要允許他們學做自己的主人翁。

寫到這裡，我才想到自己在做一件荒唐事情。題目原本是「兒童節」的文章，談的卻是兒童完全沒有興趣一顧的教訓。也罷，把題目改成「和成年人談兒童節」，也許算作一份送給成年人的兒童節禮物？

一九八九・四・四／聯合報／二七版／聯合副刊

人在天涯

提到「天涯」兩個字，以前只覺得遙遠。因為遠，所以陌生，而且感覺沒有著落，例如「同是天涯淪落人」，不免有點飄零落寞的意味。現在則不同，世界變小了，不但天涯若比鄰，而且時興自由自主，「浪跡天涯」反而給人瀟灑浪漫的聯想。

三月底到四月初，我在哈佛大學開會。雖然一個人旅行，但是工作在身，並不覺得孤單。和來自世界各地的同事交換心得，互相學習但也時有辯駁爭議，不但學術上有收穫，生活經驗也添了一場熱鬧。

但仍有十分孤單的時候。相當盛大的一場研討會，共有一百多篇論文，來自台灣報告台灣近況的卻只有我一人。另一方面，和中國大陸有關的論文共有三十多篇，比有關美國本身的論文還多，是全場最受注目的一個區域性焦點。我在宣讀論文之後，第一個舉手發問的聽眾就直截了當地說：「對不起，我現在至少有二十個問題要問。我們聽了這麼多中國大陸的報告，現在才知道，其實台灣也有一些很有趣的狀況……」

這個發問者的反應其實十分典型，大多數人對台灣了解有限。我在開場白的時候說：「我相信你們都知道台灣，但很多人，尤其是美國人，對台灣的印象恐怕只限於『台灣製造』的標籤。」果然全場大笑。但慢慢我發現，這實在不是一個笑話，而是十分接近現實。台灣在國際舞台上，除了貿易方面成效卓著，其他方面真是太過安靜了，和我們的實力一點也不相符合。

相形之下，中國大陸表現的積極活躍真是驚人。會場到處是說「普通話」的東方面孔，沒有人會把他們誤認為日本人。和這批中國學者交往，心中有很奇妙的感觸，初則「天涯若比鄰」的親切，繼則「比鄰若天涯」的惆悵。的確，明明應該是家人，卻在天涯相逢，幸好不是太過競爭的場合，但還是免不了一點私下相較的意味。一位教授很熱忱地自我介紹：「我是北京師大的。」我笑瞇瞇應答：「我是台灣師大。」兩人握手相視而笑，非常會心的感覺，心中的酸甜苦辣毫不掩飾地寫在臉上，並不介意讓對方看到。

我對這些中國學生和學者的積極表現感到驚訝。他們有些英文極流利。有些英文不好，但反應夠快。有些比較羞澀，但非常誠懇。有些人直言批評大陸現況，毫不留情。我想到，如果能夠看重知識分子，中國還是有希望的。但是中國歷史上，知識分子的命運一直不太好；如果取悅當道而得意一時，又失了知識分子的風格與使命。是知識分子的內在性格本來就存在這種矛盾，還是政治現實使然？

走在波士頓的斜風細雨當中，我覺得奇怪，這麼冷的天，竟然還有人在查爾斯河上划船，是傳統吧！另一個讓我納悶不解的是，身在異域，並不覺得「天涯」；反倒是遇見同胞之後，心情一直十分「天涯」。到底是「同是天涯淪落人」的寂寞相憐，還是「天涯若比鄰」的喜悅相會呢？我真說不清自己的心情！

一九八九．四．十一／聯合報／二七版／聯合副刊

知識分子與政治

我開始寫「羊憶蓉隨筆」，最初的想法，是覺得自己平日政論文字寫多了，關注問題的焦點和文章筆法都有些僵化，很希望換個園地來「隨筆」一下。一兩個月下來，每每發現有感想和有興趣的題材，仍在政治和社會問題，好像先天受到某種「制約」，侷限了自己的視野。我一面苦惱自己距離「隨心所欲」尚早，一面忽然領悟到，是不是因為走上讀書教書的路，再也脫不開自以為「先天下之憂而憂」的枷鎖？

知識分子，不管專精的學科是什麼，很難避免對政治問題的關心。最近中國大陸的大學生又起風潮，不但聲勢浩大，而且對中共政權批評非常嚴厲，是繼知識分子寫聯名信要求釋放政治犯之後的又一波民主活動。我們隔岸看得十分振奮，有人順勢表示「同情」，有人跟著也追悼胡耀邦，好像中國的民主前途就寄望於這些批判性強烈的青年知識分子身上了。

但知識分子永遠是這麼勇於向政治現實挑戰嗎？卻又不然。在中國尤其不然。科舉制度為中國讀書人的求知提供了現實出路，好的方面說，讀書人一展抱負，政府廣納人才。但反過來，這種政治利益的交換，何嘗不軟化了知識分子的獨立性格。

所以，中國知識分子在政治勢力之前，其實是很軟弱的，而且常常不自覺地默認了做官和讀書之間的某種「主從」關係。有一次我在研究室做功課，門外人聲嘈雜，好像有大隊人馬經過，間歇聽見有人在說「教育部的長官來了」。還有人敲了我研究室的門，很善意地介紹我與「長官」認識寒暄。後來才知道是教育部的督學來視察。我本來十分感慨，不明白督學視察何以被人前呼後擁，更不明白教育部的公務員於大學教授而言，何「長官」之有。但轉念一想，我們的資格證書，升等審查，校方的預算人事，乃至校長任命，全由教育部做主，教育部不是長官又是什麼！這樣一想，應該可以很阿Q地釋懷了，卻是心情更為沉重！

政治權力對知識分子的限制，政治權力對知識分子的引誘，都嚴重傷害了知識分子的批判和獨立性格，也損傷了理想主義的熱情。但很多知識分子的確未察覺這種「致命的吸引力」的陷阱，而以「使命感」包裝了自己的權力欲望。有人批評「學官兩棲」的狀況，其實在中國傳統，學官從未異途，根本就是「學官一途」。所以我們今天有高學歷的內閣，其中有些的確可稱為「技術官僚」，但也有人是從曾經年輕熱情、批評力旺盛的學者起家。甚至連同某些具有廣大群眾基礎的民意代表，一起被收服在這龐大的官僚體系之下。上禮拜「聯副」有大陸留美學生龔小夏的一篇文章，談仍在獄中的王希哲，慨歎為什麼中國人能容忍世上最荒唐的政府，卻不能容忍單槍匹馬、唐吉訶德式的英雄。如果追問答案，我想，在中國，也許唐吉訶德從來不被讚許是一個英雄吧！

我有一次和一位標準的「從政學人」談話，聽他侃侃談起自己的使命感，間歇也批評了官場的權力傾軋。我忍不往譏諷地說：「學者去做官，有使命感的和有權力欲的很難區別。因為兩者同樣是對外宣稱具有使命感，私底下卻免不了爭取權力。」我很感激這位「長官」原諒了我對他的不尊敬，但我更難忘的是他當場滿臉驚愕，無法應答的尷尬表情。若問知識分子與政治有什麼關聯，當時那靜默尷尬的一刻便是某種答案吧！

一九八九．四．二十五／聯合報／二一版／聯合副刊

上了賊船

我天天和媽媽打電話。有一次媽媽說我好久沒回家了，我則埋怨工作太忙。「每天手邊都有好多事，怎麼做也做不完，好像永遠都做不完！」我越說越大聲，本來是在撒嬌，竟然講到自己生起氣來。「你現在這樣子，」媽媽歎口氣，想用妥當的措辭表示同情：「有點像是上了賊船了。」

生我者父母，最知道我的也是媽媽。我在學校教書，為報紙寫稿，做的都是稱得上「自由業」的工作，多少朝九晚五上下班的朋友羨慕我的自由自在。但是當我說工作忙的時候，只有媽媽明瞭，我不是抱怨時間不夠用，實在是在歎氣生在這個時代的身不由己。

現代人，每個人都忙，不忙不足以標榜自己的重要。本來忙也沒有關係，只是工作占據了人生而已。但台灣的人，似乎多半在瞎忙，大頭蒼蠅一樣沒頭沒腦飛成一群。不辨方向、沒有目的地的人聚在一起，竟然也能匯成潮流，而這的確是今日台灣寫照。

我有一個朋友，本來生性恬淡，夫妻二人過安分平靜的生活，最近也忍不住向我埋怨：

「我本來好好過自己的日子，但四周的人好像都在推在擠，逼著我非跟大家一起走不可。」的確，今天不買股票，好像就坐失賺錢良機。今天不買房子，恐怕一輩子再也買不起。今天不學會電腦，好像工作上就落伍了。今天不抓住出名的機會，就怕明天沒沒無聞而終。今天再不成功，一輩子就要被人踩在腳底下了……

整個台灣的社會氣象，就是這麼一艘「賊船」。每個人追追趕趕，唯恐落在後頭；一旦上了賊船，自然沒有全身而退的道理。

有些人也許覺得這個用詞不當。上了賊船，形容的是受人宰割、任人擺布的情形；台灣社會追逐名利，誰不是心甘情願？更何況要不是很多人大有斬獲，那會吸引越來越多的蒼蠅逐利而飛？但很多「身在江湖」的人，的確有我的朋友所說「四周的人在推在擠」的感受。一個只想好好教書的教授，如果不充作學者專家四處發言，就不算是知名有建樹的教授。一個安於溫飽度日的年輕人，如果沒有投機生財的手段，很快會被淘汰成貧民或者傻瓜。一個理想主義的政壇人物，如果不譁眾取寵在鏡頭之前作秀，就不算是反映民意為民喉舌。一個在學校裡學得守法守分的人，如果進了社會不同流合汙，真會被譏笑為不識時務呢！

話說回來，光是抱怨社會風氣，光是怨歎身不由己，也不是很好的脫罪藉口。一個人生而為人，總該有起碼的自主意志，是所謂「富貴不淫，貧賤不移，威武不屈」的。可惜今天從家庭到學校到社會，沒有什麼地方鼓勵個人發揮這種不為外力所役的自由意志。不看重

「人」的價值，只看重「物」的價值，難怪社會追逐名利如此前仆後繼。

我一面歎氣上了賊船，一面問自己什麼時候才有「投奔自由」的勇氣。人用很多身外之物裝飾自己，看似增添了世俗生活的憑藉，其實是軟弱了自己。在這種時刻，格外想起「無欲則剛」這句話。只是，關在籠中的鳥，也許根本無從想像翱遊天空的快樂吧！

一九八九・五・二／聯合報／二一版／聯合副刊

男女有別？

看到這個題目，很多人一定直覺反應：又是一篇提倡女權主義的文章！我雖然並不特別有這番用心，但在「男女有別」四個字下面加上問號，的確是對這個慣性用語表示質疑。是否真的男女有別，差別在哪裡，打一百年筆仗也爭論不完的；但是這個社會，對男女的觀感倒真的大有差別，令平權觀念的人不能不有些感想。

郭婉容部長率團去大陸開亞銀年會，她的良好風度獲得輿論一致讚譽。但在很多記者筆下，郭婉容不只是部長，還是「女」部長，新聞報導對她的女性特質著墨特別多，似乎認定這點有助於她任務成功。有些報導讚美她人如其名，麗容溫婉；有人說女部長以「軟」功對硬課題，十分有效；更有記者熱情洋溢描述部長「真是個纖細溫柔又懂得發揮自己獨特魅力的女人」。新聞不但報導部長每天做什麼，還要報導她穿什麼，什麼襯衫配什麼外套裙子，款式顏色質料的描述一應俱全，連絲巾別針也在報導之列。

對郭部長的女性身分如此另眼看待，實在是作錯了文章。她所具備的擔當重任的各項條件，除了專業知識和公務經驗之外，其他個性氣質其實也都是十分「中性」的，與她的性別沒有多大關係。不信我們看看，郭婉容受到的讚美：

「機智反應快」——錢復不也如此！

「誠懇而從容不迫」——陳履安不也如此！

「樸質不虛飾」——林洋港不也如此！

這裡透露的是一個簡單道理：成功的因素，是「男女咸宜」的，並不特別與性別有關。這也是女性運動一直推銷的一個觀念：先做人，再做男人或女人。

道理雖然簡單明瞭，要普及成為人人接受的觀念卻很難。過去事業有成的多半是男人，使得社會把強悍雄健的氣質視為成功典範，連帶對成功的女人也產生許多不合邏輯的好奇和偏見：她是三頭六臂嗎？她一定就靠一張笑臉征服了別人！她的先生怎麼樣？她的行事作風很像男人。（這話是褒是貶呢？）

社會對女性另眼看待，大半女性也因此對自己的性別敏感，調整得過猶不及，總之很難清風明月無牽無掛。有一次幾個研究生女孩子問我，常見我出外公事場合，滿座都是男生，我一個女生緊不緊張？怎麼應付這種場面？這個問題，我愣了一會兒無法作答。也許有人會「隨機教育」一番：新女性，要積極有自信，強悍有幹勁，橫衝直闖，絕不在男人面前低頭。但我的心情的確不是如此。任務在身，專心辦公事尚且來不及，那有餘力去分辨，為什麼別人都穿西裝，只有我一個穿裙子？一生出這種念頭，分心先去做女人，恐怕做一個成功的「人」的自我要求就會削弱了幾分。

我也不是提倡一個沒有性別區分的世界。男女關係之間，男是男，女是女，不容易混淆。但世間大多數任務確實是非關男女的，當部長不過是例子之一。既然非關男女，哪有男女之別可言？只不過，這種看法，不知會不會又被某些人列為「婦人之見」！

一九八九．五．九／聯合報／二一版／聯合副刊

學者之見

我有一次和一位政府官員談話。明知道意見不大可能被採納，我還是誠實說出自己的看法。結果，這位以長輩姿態對待我的官員下了一句評語：「你這是學者之見。」

從當時談話的上下文之內，無須多加揣摩，任何人都能體會出那句話的言外之意。引起我後來咀嚼再三的是，一句話，明明字面是褒獎，為什麼實質上充滿諷刺意味？

以中國人對讀書人的敬重，學者的地位向來不同凡響，而當今之世，學者尤其大行其道。舉凡大學教授、專業人士、常在傳播媒體上發表意見的人，一概受到「學者專家」的看待。國家既處於「轉型期的陣痛」，又遭受著「新興工業國家症候群」（這些病症也是學者專家診斷出來的吧），需要借重學者之處自然特別多。所謂時勢造英雄，用來描述今天學者的景況倒十分恰當。

學者當道，看似受重用，效果卻正相反。原因之一是頭銜濫用，造成貶值。再不懂經濟的人看見今天通貨膨脹的情形，也明白和貨幣供給量太高有關。學者的身價，也難逃這條鐵律。本來「教授」只是職業的頭銜，是否稱得上「學者」還有待時間考驗。但社會太過看得起這個行業，很多人從拿到學位到開始教書工作的一線之隔，身分立即從學生晉為學者。學者一多，就像「新生活駕駛」的計程車忽然滿街都是，招牌自然有一點貶值。

學者除了有點「通貨膨脹」，在社會殷切需求之下，有時也難免「角色膨脹」，不管什麼場合、什麼話題都要插足表示意見。我自己被「請教」過的問題，上自司法革新、政治民主之道，下自親子關係、單身貴族的「社會學解釋」，經常問題本身的上天下海就令人瞠目結舌。這時如果缺乏一點自抑功夫，很可能給出天馬行空不著邊際的答案。有時某些學者專家的意見，直可與《羅馬假期》電影裡葛雷哥來畢克胡謅的幾句話相比：「這件事會產生直接和間接的兩種效果。間接的效果，自然比不上直接的效果那麼直接……」

在我被人指為「學者之見」以後，立刻對自己可能的過錯加以檢討，也算是知恥近乎勇吧。但今天處理一個事件，流行的手法是「各打五十大板」，政府官員拒絕學者意見的心態未嘗沒有可議之處。來自象牙塔的意見，的確可能源於理論，曲高和寡，和現實脫節；但反過來說，現實與理想通常相去甚遠，需要改善之處，正在於向理想境地一步一步邁進。政府官員如果一味妥協於現實的阻力，學者專家如果一味承認現實的苦衷，那麼這個不完美的現況哪還有改進革新的餘地？

學者專家和政府機關合作，常有一個共通經驗。如果建議正好和政策方向符合，立刻被引為「根據學者專家的分析」而成為決策基礎之一。如果不幸與政策不合，則學者之見便成為「唱高調、不切實際、執行有困難」的同義詞，只有參考存查的價值。這其間的取捨，不一定與學者意見高下有關，很可能決定於主管機關的自由裁量而已。碰到這種狀況，「學者之見」又能奈何？

我回想起聽見「學者之見」這句評語當時的感受，那種啼笑皆非又無處可逃的尷尬心情，跟被人指為「女強人」的滋味差不多。字面是讚美，骨子裡是揶揄，說的人似在恭維，聽的人避之唯恐不及。女人有些拚命要做女強人，卻不喜歡被這麼稱呼；學者有些喜歡被這麼稱呼，卻不知有沒有資格做到。這個世界，用一句學者的話說，真是弔詭啊！

一九八九・五・十六／聯合報／二七版／聯合副刊

虛幻迷離

大陸一場民主運動，吸引了全世界的目光。這麼多人在以血淚刻寫歷史，這麼多雙眼睛在為這個事件作見證，我們都已經看見這場運動將在歷史上留下的刻痕。但另一方面，詭譎的權力鬥爭當中，立場不一的人對事件作出不同的主觀詮釋，操縱媒體的人為事件傳播出不同的面貌。這種時候，又教人不由警惕感嘆，要留下真實完整的歷史紀錄是多麼困難。例如：

——「大陸的動亂」，你以為指的是什麼？《人民日報》說學生運動是動亂，而且成為中共鎮壓的藉口；我們一面支持學生運動，政府聲明中卻也稱「動亂」，政府發言人解釋，學運不是動亂，中共開始鎮壓以後才叫動亂。

——北京街頭，廣闊的馬路上流水一般的腳踏車，市場裡滿是買菜的人潮，店家熱鬧地進行著買賣生意。你以為這是什麼承平年代的畫面？卻是中共中央電視台在學運正熱烈時候播出的鏡頭，播音員甜美的嗓音說：「北京市民生活正常。」

——「先要有穩定的社會秩序，才可能改善現況。任何人都沒有權利破壞今天人民享有的安定生活！」你以為這是莒光日電視教學嗎？畫面卻是小耳朵傳送過來的，聲嘶力竭正在演講的是天津市長，旁邊也有一群「鼓掌部隊」在努力附和。

同樣一個詞句，被用來描述相反的事件，同樣一個事件，可以用迥然不同的畫面來呈現；同樣一句話，被相反政治立場的人共通用作護身符；同樣一個人，可能對不同地區的學生運動作出完全不同的評價。人類的世界，果真是虛幻迷離啊！

大部分人，都相信世間有真理，事情總有真相。多半，年輕時候對追求實情真相越有熱情。我記得大學時去哲學系修「知識論」，就是因為不明白為什麼那麼多人對經驗世界的知識如此懷疑。越長大，光是憑著自己對現實生活的感受，也漸漸看出「事實」的不可信靠。事實不可信靠，有時是觀察角度不同所造成的。同樣學潮時候的北京，天安門廣場和偏僻市集的景象的確不同。但真正造成事實面貌不同的原因，往往不只是觀察的角度，而是操縱選取角度背後的用心。中共中央電視台播出的安靜秩序畫面，未嘗不是真實北京市景的一部分，但有意遮掩了另一部分事實，使得人們對事件的理解被導引扭曲了。同樣地，一個人想要了解台灣的現況，該去看《光華雜誌》還是《人間雜誌》？縱然兩本並排在一起，拼湊出來的恐怕也不見得是台灣的全貌。

這種人為的操弄，使得很多事實永遠只能以零星破碎、經過主觀詮釋以後的面貌呈現出來。而記錄歷史所必須憑藉的文字、影像、聲音等等，又往往被設計之後充滿語意和形象上的含混詭異。「中國的統一」這句話說出來，到底是中共的「統戰陰謀」還是我們的「統一大業」？難怪史學家吳相湘有一次感慨至極地談到，「順逆正反」是政治上的主觀成分多，客觀的成分較少！

有人說，小說中除了人名是假的，其他部分全是真的；歷史中除了人名是真的，其他部分全是假的。果真如此，這個世界迷離虛幻到連生存的價值都要受懷疑了。但反過來想，人類流血流淚爭民主的一點點成績，正在於真理不再由一二人宣示，歷史不再由一二人記錄。當千千萬萬雙眼睛都在作歷史的見證，也許人類終能有幸不再被少數獨裁者所操縱蒙蔽吧！

一九八九．五．三十／聯合報／二七版／聯合副刊

有用沒用

我在報上讀到一則新聞。在台北聲援大陸民主運動的一次學生活動中，很多人因為天熱和激憤而昏倒了，被送進醫院救護。這些年輕孩子熱情而倔強地說：「和大陸學生受的苦比起來，我們這一點點不舒服算不了什麼。」記者顯然十分感動，聲色俱全地寫了一篇特稿，我看了卻覺得十分愚蠢。「大陸學生付出生命代價，爭的是民主自由，我們在這裡昏倒是算什麼呢？」我當時的確是這麼想的。

一個星期以來，每天在淚眼中看新聞，課堂裡有時忽然講不下去。有一天，我一面洗衣服一面聽新聞，最後發現自己扶著洗衣機在掉眼淚。我也這麼問自己：「笨蛋，這樣流眼淚有什麼用呢？」

一次又一次，我看見這樣的新聞，一次又一次，我問出「有什麼用呢」這個問題；一次又一次，我卻在問題的累積下找到了答案：

——每個人都看到一位北京市民以自己身體阻擋坦克前進的鏡頭。那樣做不是標準的螳臂擋車？一顆子彈可以輕易結束一個多麼脆弱的血肉之軀。但是，強硬的鋼鐵，碰到了比鋼鐵還要更強硬的意志，不是也猶豫退卻了嗎？一個人，在全世界之前展示了中國人不可屈服的勇氣，肉身阻擋戰車真的沒有用嗎？——台灣的青年學生，絕食抗議，遊行哀悼。一位高中校長認為，這些活動沒什麼用處，學生還是回到教室念書才是真正的貢獻，或者捐款救濟也算有點實質功用，總比遊行呼口號有效。這位校長的想法也沒錯，我們在這裡聲嘶力竭的口號和悲歎之聲能讓誰聽見呢？但是，大陸學潮之初，如果每個學生都認為坐在教室念書才是正途，這場驚天地泣鬼神的民主運動又要從何誕生呢？

——我也想到以阿戰爭之初，全世界的以色列人放下手邊課業和工作，回去為祖國效命。多少人勸慰他們，留在海外做有用之才，才是更大的貢獻。但是，若不是這種為國家義無反顧的熱情，小小的以色列如何能在強敵環伺之下存活下來呢？

我看這些故事，一次又一次問「有什麼用」，卻漸漸發現，很多看來利害分明的事件，其「有用」或者「沒用」不是可以立即判斷出來，也不是世俗價值可以遽下評斷的。在殺人無數的戰爭中，一條命有什麼用？在柔軟的肉身被摧殘後，堅強的意志又有什麼用？但是，人類的歷史，從愚昧無知走向渴求真理，從貧病落後走向富裕繁榮，從專制獨裁走向沒有一個人甘心再做奴隸，這個血淚過程，正是多少人不計較有用沒用而以生命去奮鬥出來的。他們的流血代價，誰說沒用呢！

我的母親是北平人。我問她，如果我們在北京，我要出去和學生在一起，她准不准。「當然不准，那是要付出生命的。」媽媽立刻以母愛的直覺這樣回答。「不過，如果你真要去，我也攔不住吧。那些父母一定都攔不住他們的孩子的！」我還沒接話，媽媽自己這樣修正，語調有些喑啞。「而且，如果沒有七十二烈士，就沒有中華民國吧！」媽媽終於說出這句結論，我們都沉默下來。

我沒有話可以安慰那些喪失了子女的心碎父母。我只能說，他們的生命不是白白犧牲，他們在以鮮血描繪中國的民主前途，他們把生命的尊嚴發揮到極限。若問人生有什麼有用的價值，正是這些可敬的年輕生命在為世人留下重於泰山的典範！

一九八九．六．十三／聯合報／二七版／聯合副刊

在飛機上

在飛機上，我隨筆寫下這個題目。主題其實和飛機沒有什麼關聯，只是文章正好在出國開會之後的回家路上寫的。

這次去史丹福大學的胡佛研究中心開「中美中國大陸問題研討會」。很多美國著名的中國問題專家都出席了，馬若孟、墨子刻、何漢理、高棣民，都是國內讀者熟悉的名字，也有知名的華人學者像費景漢、冷紹銓等等。這樣一個學術界的盛會，在這樣一個時刻談大陸問題，大家心中都有複雜的感觸和特別豐富的心得。但是，此刻，在開會之後的回味當中，令我印象最深刻的，卻是會議間的兩個插曲，在我腦子裡揮之不去。

第一件是克萊恩博士在會議最後說的幾句話。這位和台灣關係密切的前任美國中央情報局副局長，在談到大陸現況時語重心長地說：「共產制度很差勁，不是因為從我們西方人的民主觀點而言很差勁，而是因為這個制度對它自己的人民很差勁。」

這幾句話很平凡，沒有冠上什麼深奧堂皇的理論，也不在意識型態上多作辯論。不過，就是因為如此簡單平凡，事實清楚到一目了然的地步，才使人特別感覺到一針見血之後的心痛。會後我趨前向克萊恩博士致意，告訴他這幾句話使我感動，這位滿臉大鬍子的長者感慨萬千地說：「這話我說了幾十年了，可是很多人就是不相信！」的確，非要等悲劇發生之後才肯相信，這種後知後覺本身就是一種悲劇吧！

十一日中午會議閉幕之後，回到旅館，正好趕上看華裔小將張德培打網球的電視轉播。張德培和瑞典的艾柏格爭法國網球公開賽冠軍，奇怪的是最著急的是美國人，等著這個中國男孩子替美國拿回一九五五年以來就失去的獎盃。我雖然稍微覺得滑稽，又看不大懂網球，還是免不了被現場那種熱切的氣氛所吸引。

結局大家都知道了，張德培拿到冠軍。他致詞，說些感謝的話，謝謝媽媽燒的中國菜，等等。然後，在現場和全世界不知多少萬正在看轉播的觀眾面前，他說：「上帝保佑每個人，特別是那些在中國的人民。」

我並不非常「民族主義」，通常不輕易為所謂「中國人的光榮」感動。但是，聽見張德培說這幾句話的那一刻，我的確感覺到血濃於水的感情。但是，再想下去，我卻又不確定是否民族感情是唯一聯繫我們對大陸現況共同關懷的原因。像克萊恩和張德培，一老一少、一西一東，不同的職業訓練、不同的生活經驗，完全沒有類似或者可以對照之處的兩個人，卻同樣表現出對中國人民的痛惜。不管是出於職業的觀察，或是本能的同情，殊途同歸的是人類追求民主自由的基本信念，還有不忍見人類手足同胞慘遭迫害的一點正義心腸。

在飛機上，在開會之後混雜著疲倦和輕鬆的心情中，我回想這次開會許多奇妙的人事邂逅，覺得世界真小。現代科技縮短了人類之間的距離；但是，真正能夠消除人際隔閡的，還是人類共通的信念，共通的理想，共通的情感。我看見舊金山附近很多商店櫥窗張貼著「停止在中國屠殺」的字樣，想到就是這種感情的扶持加上對人權的重視，使得人類在追求民主自由的艱苦歷程中還不致絕滅了希望。

但是，話說回來，在爭取基本人權的過程中，為什麼悲劇一演再演？為什麼中國人的苦難永不結束？在飛機上，我恍惚不知自己身在何處，我竟分不清窗外是黑夜是白天！

一九八九・六・二十／聯合報／二七版／聯合副刊

總統步行

前不久有一則新聞，李登輝總統下班後走路回家。在中國政治元首身上，這種事的確不大尋常，難怪沿途民眾「均驚訝得難以置信」，而新聞報導也用上「親切與平民化」、「所彰顯出的風範」等等字眼作了一番文章。

我看了這則報導，實在有些感觸。黃昏時刻，忙完一天國事的李總統，笑瞇瞇從廣敞的重慶南路走回可能晚飯已經準備好了的家中，是多麼輕鬆自然的畫面。我們的國人，記者和路人和侍衛，卻對這種「突發狀況」這麼不習慣。總統走路，於身體健康有益，於了解路上實況有益，但若說因此就彰顯出什麼「風範」，恐怕還不至於吧！看起來，中國人權威崇拜的情結真是根深柢固。

中國人崇拜政治權威，從來和「內聖外王」的想法有關，每一個政治領袖都被塑造成道德上的聖賢，權威的影響力更是無遠弗屆了。說起來，這種封建想法本該是天寶舊事了。奇怪的是，德先生和賽先生喊了那麼多年，「國民」革命也成功了，「人民」革命也發生了，權威崇拜的心理卻仍揮之不去。一直到今天，談起行憲以來的政治元首，還有人在用「千秋萬世」、「奉天承運」一類的形容詞，真叫人慨歎不知今夕是何夕。

造成這種現象，教育要負最大的責任。課本裡教的是權威觀念，教室裡用的是權威教法，自然只能培養出「一言堂」的徒子徒孫。表面上看，是在製造萬民擁戴的氣勢；實質上評估，不但於人民有害，於國家民主前途有害，於政治統治階級也不見得長久有利。一個聽不見異議的政府，怎麼會是受監督而有改進的政府？一個與民意隔絕的政府，怎麼會是掌握民間脈動的政府！

李總統步行回家的新聞發表之後，在一次全是大學教授和新聞工作者的聚會中，我聽見很多戲謔的反應。有人說：「如果我家住在離辦公室走路十五分鐘的地方，我也天天散步上下班。」也有人說：「從總統府到官邸，路上既沒有攤販，也沒有停滿摩托車，也沒有高高低低的騎樓，走起來真舒服啊！」

很多人一定會責備教授們的「大不敬」。不過我倒覺得，大家說的是真心話，三言兩語點出很多都市問題，如果能反映讓總統知道，倒也是件好事。李總統捨車而步行，如果目的就是要探查坐在黑色大轎車裡所見不到的事物，那麼這一類「民隱」——不管多麼具有批評性質，就正是該讓執政者看到聽到的實情。

我常常想，就算對平常人來說，良藥也是苦口；對握有龐大權力的政治領袖而言，忠言更是逆耳了。但仔細再想，這種說法是與民主邏輯不合的，因為有權的是人民，不是政府。很多人譏笑美國的民主是平庸的民主，因為總統都是些平庸之才。不過，正是因為制度上的設計，箝制了元首個人的雄才大略，才可能避免因為個人權力膨脹而犯下不可收拾的錯誤。我們看看歷史，極權的悲劇不都是由於領袖太過權力擴張所造成的？希特勒、毛澤東不都是由萬人擁戴的民族英雄變成恐怖的獨裁者？這樣看來，一個允許批評聲音的政府，一個不成天自誇英明大有為的政府，才是能帶給人民福利的政府。

我自己做學生時候，也曾列身成群熱血天真的青年當中，握著拳頭揮著手臂，對著一人高喊「萬歲萬萬歲」。如今想起來，只覺得羞憤難當。我們的教育，停止再塑造這種政治領袖的神話吧。「休向君子諂媚，君子原無私惠」，李總統是這種謙謙君子，喜歡走走路，我們高興見他身體健康。至於其他牽強附會的奉承讚美，還是從現代的民主辭典裡刪除吧！

一九八九・六・二十七／聯合報／二七版／聯合副刊

對比

最近美國最高法院有一個案子，以五票對四票判決燒毀國旗屬於人民言論自由的範圍，應受憲法保護。我不知這個判決在台灣是否引起什麼討論，但就在美國本身卻是輿論譁然。保守派人士認為國旗的象徵性意義崇高無上，怎麼可以讓人民因「言論自由」而任意輕侮；自由派人士卻認為是護衛人民憲法權利的一大勝利。

我不想討論燒國旗在道德上是對還是錯。道德的對錯通常不是言詞討論或投票表決能夠決定的。但就一般人從利益的觀點來判斷，國旗對促進國家凝聚力的影響的確是無可比擬的；這種團結的利益不但是象徵性的，也十分實質。因此，對我們一般充滿了「國家至上」觀念的人來說，不強迫要求國民有一致的意識型態已經夠奇怪了，竟然還進一步允許人民的言論自由向政治統合的理想挑戰，簡直是大不敬到了不可思議的地步。

也許有人會用「國情不同」來解釋美國這些大法官的判決，但這樣想顯然太輕鬆了。美國有些慶典場合由爵士歌手把國歌唱得變了調，這也許叫國情不同；但對人民的言論權利如此保障，不輕易用政治統合的利益來壓抑個人，可就完全是因為對「民主」有不同的體認和實踐才能做到的。如果光用愛不愛國來分析，恐怕也是解釋不通的。

就在這個判決出來沒幾天之後，我看見一個對比的例子。在加拿大蒙特婁市舉行的比較教育世界大會之中，很多人在會場發傳單，要求大會重新考慮早先決定的一九九一年會議將在北京召開這件事。散發傳單的這批年輕人，不是什麼「國府特務」，也不是右派反共團體，而是主要由大陸出來的中國留學生。我和一位中國學生談起這事，他說他也很矛盾。又想呼籲譴責這個政府，又怕杯葛行動結果反而傷害了學術界；又覺得這個政權必須受到懲罰，又不知怎樣做才能對國家和全體人民的利益有最大幫助。

這種矛盾，正是中國向來的統治者，用「國家至上」的觀念包裝了政權穩固的企圖所製造出來的效果。我們看看美國和中國的對比。一個國家，允許人民的個人權利發揮到極大極大的限度，表面上看來幾乎和國家利益牴觸了，其實是因為民主的信念在此十分明白：國家主權果真是人民的，則人民的最大福祉就是國家的福祉。另一個國家裡，人民連最低程度的權利也被剝奪，而用的藉口卻正是要使國家安定——但在歷史裡，終於使得政權翻覆的，難道不正是人民怨懟造成的滴水穿石的侵蝕效果？

我在蒙特婁，趕上在聖母院大教堂裡聽了一場音樂會。莊嚴肅穆又永遠充滿悲憫氣氛的教堂裡，聽柴可夫斯基的《悲愴》，我止不住鼻酸。我對宗教和音樂都不特別熱情，使人感動的，還是自己心中的情緒吧。演奏結束，觀眾起立的瘋狂鼓掌聲中，我溜到一旁，點了一支白蠟燭，卻無言解釋自己的心情。又點了一支小紅蠟燭，是因為想起一位北京師大的教授對我說：「我很痛苦，但不完全悲觀，因為這次事件的意義是不同的。」一支白蠟燭一支紅蠟燭，痛苦但不要絕望，這不是對比，而是，多麼多麼無可奈何之中的一點點期望呀！

一九八九・七・四／聯合報／二七版／聯合副刊

從賣花的孩子說起

半夜三更，都過了十二點了，我和先生很不得已在人聲嘈雜、煙霧瀰漫的啤酒屋裡吃晚飯，看見一個絕對不超過五歲的小女孩沿桌賣花。我很生氣天下有這種父母，又從「社會剝奪」理論引申出一番這個孩子在人生起跑線上已經輸了一截的大道理。

先生是念法律的，專業訓練的不同在此時表現得很清楚，他只皺眉簡單結論一句：「這一定違反了兒童福利法。」我們沉默了一會兒，我都想換話題了，先生卻又接口：「所以說，台灣的問題，先不管立法怎樣，根本就是執法的問題！為什麼有法不能執法？為什麼有法不敢執法？」他越說越大聲，我倒嚇了一跳。

台灣社會漫無法紀的現象，就算不懂法律的人，也會有「感時花濺淚」的心痛。這不是心存不滿的老百姓的危言聳聽，很多高級政府首長的言論中也洩露出這種危機，信誓旦旦要恢復公權力不過是例證之一。一個最近的例子則是整頓地下投資公司，財政部長郭婉容說沒有緩衝期，因為「地下投資公司今天就已違法，不是銀行法修正案通過後才違法」。豈止今天違法？明明從存在之初就已違法，那麼何以任令坐大到今天這種地步？所以念法律的人痛心質問「為什麼有法不能執法，有法不敢執法」，實在不是無的放矢。

一講到法律，很多人就想到厚厚的《六法全書》，想到森嚴的法庭——這種題目放在「隨筆」裡談有點教人看不下去！其實「法」從「水」從「去」，是「平如止水」又「去不直」的意思，很平凡的生活規範的概念而已。我們不要以為守法的觀念是從小念六法全書得來的。如果簡單問一般美國人的守法精神是怎麼培養的，看看台灣流行的影集如《妙管家》、《天才老爹》就可以知道，孩子出門約會，和誰在一起做什麼，幾點以前回家，都要和父母約法三章，遲五分鐘到家就要受應得的處罰。中國人也許把這叫做「家教」，其實就是一種嚴格的執法。美國人開車，在無人看守的「停」標誌前就乖乖停下來，四面來車自動按著先來後到依序再走。台灣去的每每吃驚問人家是怎麼訓練出來的，實在是從小在嚴格執法之下養成的習慣而已。比起這種腳踏實地的做法，我們卻是讓孩子從小學到大學受無休無止的必修政治課程，以為就此能培養出好公民，是聰明的中國人也有太天真的時候嗎？

「法」搖搖晃晃，期望它「平如止水」又能發揮「去不直」功能的人不免心驚。這兩年以來，多少人苦口婆心，多少人振臂疾呼，期望革新司法。但看看高新武、謝啟大這些人的奮鬥掙扎，好像傻瓜跳進海裡自殺一樣，激起一點水花之後就什麼都不剩下了。甚至最近法務部和司法院嚴禁推檢人員任意對外發言，革新反而往回頭路走，期望司法改革的苦心終究跳不出官僚體系的手掌啊！

執法既不嚴格，審判也不知究竟有多獨立，立法又如何呢？看最近大學法修正案在立法院審查的情形，八百多位大學教授的請願，敵不過黨政協調，（當然）敵不過三五個四十多年前選出的資深立委。想到是這樣的人堂而皇之號稱代表台灣老百姓在執行立法權力，真不知道從賣花的孩子怎麼「隨筆」到這種結局，我只有擲筆歎氣了！

一九八九．七．十一／聯合報／二七版／聯合副刊

萬元一票的音樂會

萬元一票的音樂會，讀者大概都知道我指的是那一場。拉丁歌王胡立歐來台演唱，被稱為是「轟動台北社交圈」的大事，但對我只是又一次證明自己的孤陋寡聞。我的記憶裡，對這位歌王在當今世界樂壇占什麼地位實在沒有深刻的印象。也許這正證明台北人對藝術觸角的敏銳，就像幾年前某位「鋼琴王子」當道之時，台北不分日夜不分場地都聽見他的叮叮咚咚之聲。台北的「文化界」雖然稱不上前衛，但扮演起追隨者的角色倒是一貫盡忠職守。

以萬元一票為題，很多人一定以為我要對奢靡的社會風氣大作文章。對不起，猜錯了。我對夏道平諸位先生翻譯的《自由經濟的魅力》雖然不能完全心領神會，但芝加哥大學的傳統教我不以道德藉口評斷人的經濟行為。胡立歐的音樂會聽說座無虛席，可見確實值得這種票價，責其奢華不但顯得不懂經濟，簡直是不識時務了。

不過，批評沒有，聯想倒有一二。

聯想之一，是好多年前台北出現過五百元一杯咖啡的新聞。當時輿論譁然，雖然業者標榜這五百元的咖啡價格包括了女侍跪著服務、「到此一遊」的留影紀念等等，還是敵不過社會討伐聲浪。這個商業噱頭曇花一現之後就消失了。

今天的台北是「十年河西」了。幾年前五百元的咖啡被輿論批評得沒有容身之地，今天萬元一票的音樂會卻供不應求，其間的差距似乎不可以「金錢」計。國民所得的增加固然無可置疑，但變遷更快的恐怕是人民心態和社會風氣——就算GNP平均每年增長百分之十，暴發戶習氣增長的速度絕對數倍於此。國民所得節節上升，國家由「開發中」往「已開發」步步邁進；但另一方面，今天台北生活品質的惡劣為前所未有。髒亂、擁擠、汙染、噪音、蠻橫無禮、漫無法紀的程度，也是喝不起五百元咖啡的時代所不能相比的。經濟指標走向「已開發」，生活素質卻走向「低度開發」，這是否也算作我們引以為傲的「台灣經驗」的一部分？

聯想之二，是對於音樂會變成「社交盛會」的一點漫想心得。根據報紙上說，有些黨政要人收到邀請，卻顧忌閒言而敬謝不敏；出席的多是商界和演藝界名人，卻又不像一般熟知的愛樂人士。聽音樂會本是風雅之事，為什麼有人為了避嫌而不願去？胡立歐的歌聲也許的確值得票價，又為什麼很多人不只為了視聽享受而去？對這現象的觀察真可寫出一本《社交的藝術》出來。

我有一次參加一場學術研討會，乏味的討論使我疲倦不堪，終於半場「蹺課」，卻碰到一位也正離去的外國教授。我有點不好意思地批評會議好像不夠學術性，這位教授則直截了當回答：「誰管它學術？大家是來建立政治關係的。」學術討論會尚且脫不了社交性質，那麼，聽音樂會的人希望從票價中得回歌聲之外的其他收穫，也是人情之常了。

我沒有機會聽萬元一票的音樂會。不過，光是從「場外觀察」中，聯想到台灣特異的發展經驗，聯想到社交的奧妙與藝術，都是萬元一票才刺激出這麼豐富的心得吧！

一九八九．七．十八／聯合報／二七版／聯合副刊

革命尚未成功

慶祝法國大革命兩百周年，看見各國領袖群集巴黎的熱烈場面，好像在唱一曲法文版的「張燈結綵喜洋洋」。台灣的知識界也趕上這場熱鬧，大學生常看的刊物紛紛刊出了「革命與反革命專輯」、「法國大革命二〇〇年專輯」一類文字不大好讀的評論文章。一時間，「革命」又成了流行字眼。

從中文字面來看，「革命」充滿了暴烈氣味，但正是這種暴烈的光和熱吸引了飛蛾撲火。比對文革期間鬥志昂揚的紅衛兵聲嘶力竭的「造反有理，革命無罪」的口號，不難理解為什麼中共對「反動」人士加的第一頂帽子就是「反革命分子」。無獨有偶，去年夏天，當中國國民黨是否應維持「革命」民主政黨屬性成為熱門議題的時候，此地也有許多主張黨務革新人士被視為「反革命」，好像〈總理紀念歌〉當中「我們國父，首創革命，革命血如花」那種溫馨懷舊的氣氛又降臨了。經過革命獲得的政權，對舊革命懷念，對新革命畏懼，把有革新意念的人打為「反革命」，這是一項通則吧！

但革命真有什麼通則嗎？在這次紀念法國大革命兩百周年的活動中，巧合發生而最吸引中國人目光的是「民主中國陣線」在巴黎成立。有些人對這個組織影響未來中國民主化抱有相當期望。不過，把時間往前推七十年左右，同樣在法國，當時「勤工儉學」運動之下的中國留法學生，也曾懷有同樣獻身政治、革新國事的熱忱。他們之中的周恩來等人成為日後中國共產黨的領袖，李璜等人則創立了中國青年黨，七十年過去，革命發生了，反革命也嘗試過了——當年革命熱情創建的政權卻成為今天革命的對象。而中國的民主現況，是進、是退，是原地踏步，還是陷入「循環論」呢？

所以寫《文明的腳步》的威爾斯（H. G. Wells）說，世界上任何政治協議，在本質上都是暫時性的。革命如果不出政治協議，如果不能落實成制度，重新框架人民的生活，而只停留在熱情的口號或政治權力的交換中，恐怕革命的成果只能維持浮面短暫。

最近電視長片演「彼得大帝」。看見這位精力旺盛、求知欲強烈的君主，不必經過大量流血而把俄國往現代化推進一大步，讓人不由聯想到同樣西化成功的日本明治維新，還有對全世界都影響深遠的英國工業革命。布羅諾斯基（J. Bronowski）在為英國ＢＢＣ製作的《人類的躍昇》影集中曾娓娓談到，把工業革命和美國獨立、法國革命並稱為十八世紀的三大革命，因為前者的誕生，是基於不願見到人力被當成動物力一般役使的不忍之心和務實態度，同樣在追求人類的自主與平等，所以可稱為英國式的社會革命。

這些例子，足以讓中國人反省對「革命血如花」的迷信與懷舊。中國的革命，要不就是屠夫式的，連號稱「文化」大革命都滿是血腥；要不就是口號高高浮在雲端的士大夫式的空幻理想，不大考慮怎麼把熱情落實成為制度，所以什麼變法、什麼革命也沒有真正成功。當年「中學為體，西學為用」一類的口號，跟今天很多「革命最高指導原則」一樣，從來不曾從雲端走向地面。

所以劉賓雁在巴黎談「中國民主陣線」的目標（如果報上記載沒錯的話），「今後的政治方向，是主張社會主義還是資本主義，這不在考慮之內，只要是愛國的，只要是主張在中國表現民主的，不管宗教政治信仰都可參加，界線是在於民主還是獨裁。」我看見這段話，固然有感於其民主熱忱，卻不能不為殷鑑不遠而擔憂。看過去這一世紀的中國，革命的熱情不斷，但一個權威代替另一個權威，一個口號代替另一個口號，真正把人民從專制和無知的禁錮中解放出來的科學精神和民主制度卻並未建立起來。在今天「革命」和「反革命」的對抗動盪之中，迴響不斷的也許是孫中山臨終時候的慨歎：革命尚未成功！

一九八九・七・二十五／聯合報／二七版／聯合副刊

外行人看私有財產

我讀張五常的文章，一直無法理解，為什麼他花那麼大力氣推銷私有產權的觀念。生活在台灣地區的人，談起私有財產彷彿天經地義，談起共產主義則琅琅上口「殘暴邪惡本質」，很少人認真思考就是「產權」一事造成兩種制度的天淵差別。同樣地，黃仁宇屢屢談到資本主義起於對私有財產的承認和管理，這個道理似乎也淺白到了沒有人再去討論的地步。今天校園裡的風尚，是要把資本主義「新馬」一下，動輒連上「宰制」、「階級」等名詞。我對私產觀念的一知半解，更沒有人為我解惑了。

我大一時候經濟學拿了六十分，今天自己教書了，十分明白做老師的給出這種分數的心情和意義。這件事注定我做商學系的逃兵，也稍微解釋了為什麼我讀不懂張五常的書。但我又不甘心這樣罷休。私有財產的問題收存在我腦子裡的一個小格子裡，偶爾加溫一下，看看會不會有一天像釀酒釀一樣，自己發酵冒出香味來。

我的這鍋酒釀也許永遠沒法出爐。但是有一天，我像所有台北市民一樣萬般艱難地行經路旁騎樓和紅磚道的時候，不耐煩的心情忽然像報時的布穀鐘一樣，跳出來「布穀」了一聲。台北的「騎樓景觀」當中，每家商店面前的騎樓路面，都隨商店高興砌得高高低低，整修店面時則兩頭一攔請行人繞路；店門口常見「禁止停車，違者放氣」的牌子，彷彿是一個可以動私刑的地方。但同時，好像隨便什麼人都可以在騎樓下擺個地攤，隨便什麼人都可以在騎樓停下自己的摩托車，紅磚道上更是如此。

我不確知騎樓的產權是不是店家的，但讓出來給行人過路，可能牽涉到「路役權」的問題。我腦子裡模糊想到的是，我們每個人都以為很清楚自己的私有產權，其實並不。台灣的社會，談起對個人權利的保護，處處殘存著「先來先占」、「見者有分」、「弱肉強食」等等規則不明確的原始法則：有人在公共道路上做自己生意，有人占用公家房產當作私產，有人仿冒T恤手錶電腦，有人公然剽竊別人著作權，有人以「知的權利」為由侵害隱私權，有人在拆違建時拚命一樣護衛自以為是的財產，而大部分人卻在真正權利被侵犯時默不作聲……

表面上看起來，中國人不喜歡談私人財產，動不動就大公無私，和衷共濟，實則變成公私不分，常常是「我泥中有你，你泥中有我」的和稀泥局面，甚至到處可見藉道德之名遂私欲的例子。難怪張五常說「掛羊頭賣狗肉的中國文化傳統」。一直到今天，明明應該是權利義務明確的法治時代了，還在嘗試用道德口號解釋產權問題。例如取締攤販，重點是在「消除市容髒亂」；不要在公共場合或別人家門口倒垃圾，是要有「公德心」；提倡著作權和智慧財產權觀念，是要「尊重他人心血」。其實這些都是簡單明瞭的法律課題，不是道德課題，如果產權界定清楚而執行徹底，那裡用得著諄諄道德口號教訓？

很多人覺得今天社會混亂，出於人心自私，應該重整社會道德。我的看法正相反。一個社會，如果能使私產觀念清楚，人人竭力保護私有資產，不允許別人侵犯自己權利，也不敢侵犯別人權利，自然可以期望大眾遵守共同認定的權利義務。而中國社會長期以來的毛病，正是高唱「無私無我」，結果反而公共財產人人得而瓜分私用，侵犯別人私產既不以為意，自己受侵犯也大度能容。今天社會亂象不正源由於此？

歷史的包袱，在今天初具雛型的法治社會仍投下巨大的陰影。中國人產權觀念不清，何嘗不是長久以來天下為一人一家所有的形勢使然？這也就是黃仁宇所說中國官僚政治的「獨占性」。一直到今天，家天下的色彩是淡了，但政黨政治起步的備極艱辛，看這次競選的政黨提名作業，充滿了「票源」和「規劃」的考慮，好像選民神聖的投票權利也都在黨意的設計操持之中，不知多少人能認真維護自己權利的自主性。這樣的難題，又豈是竭力提倡私產制度的經濟學者所能解決？

一九八九・八・二十二／聯合報／二七版／聯合副刊

台灣是不是我的家？

世台會的李憲榮回台灣一趟，他的身分反而比他的言行引起更多討論。有人責備這個「外國人」無權對台灣前途置喙，也有人替他辯護，是因為黑名單緣故才害得很多人「有家歸不得」。

世台會的激烈台獨主張，在今天台灣的確爭取不到多少認同；但一個搞台獨的人變成「外國人」，不能不說是奇異的時代產品。我每次看海外異議分子闖關回台，都有很深的感觸。如果問一聲「台灣是不是我的家」，那些海外流浪的人，在此地居住世代的平民百姓，以及念茲在茲以光復大陸為職志的人，各自會給出什麼答案？

台灣是不是我的家，這個問題可不像表面看來那麼容易答覆。我有一次聽一位政府官員演講，談到今天很多人的投機自私，好像都存著撈一票就走的心態。這位先生感時懷憂，沉痛地問，為什麼很多人不把台灣視作家園來認真耕耘。我當時聽得十分悲傷，心中浮現出這個社會種種貪婪短視近利的景象，多少人直要把這塊土地剝削利用殆盡，的確見不到一絲一毫愛惜自己家園的心情。

中國人原本是愛家愛鄉的民族，台灣為什麼演變成為這種局面？想一想事情的緣由，我的悲傷不由得變成無奈歎息。我們的教育，我們的文化建設，的確未曾盡到責任灌輸愛護鄉土的觀念。一個研究生在作業裡問我，台灣學生從小要背什麼津浦鐵路、平漢鐵路，但多少人曉得台灣縱貫鐵路山線、海線的分岔點在那裡？我看作業的當時就瞠目結舌答不出話來，連問了好幾個人，到現在還是沒找出答案。對自己生長的土地，連事實了解都如此貧乏，難怪不容易建立起深刻的歸屬感。

今天這樣惶惶不知立足點何在的局面，很多人只好歎息是困難的政治現實所致。但我總感覺，也許不願面對政治現實才是關鍵難處。我剛出國念書的時候，遇到洋人問我從何處來，必定昂首挺胸回答中華民國全名；遇到人稱我是「台灣人」，必定刺蝟一樣全身劍拔弩張地強烈防禦性姿態要求更正為「中國人」。但很多老美的確分不清ROC和PRC（中華人民共和國），一聽CHINA則反應「你是中國來的」，我明知對方所指為何，只好再輕聲說「不是，是台灣」。經過很長時間的心情調整，我才明白在國際現實當中「立足台灣，放眼天下」的真義，終於能夠坦然接受外國人叫我「台灣人」，並逐漸以此為榮。

的確，今天政府大力向外推銷「台灣經驗」，貼著「台灣製造」標籤的商品飄洋過海進據世界每一個角落，台灣是一個使我們為榮的名字。但是，面對「台灣是不是我的家」，

「台灣是不是我安身立命之所」這樣看來簡單的問題，很多人仍然覺得困難答覆。最近資深民代退職問題一片喧鬧，惹得有些老代表氣極敗壞，揚言要質詢「何時反攻大陸」，並責備李總統「不能只想在台灣過太平日子」。這些人，於台灣而言，終究只是過客罷了！如果人人只懷著過客心情，我們怎能期望愛這塊土地像愛自己的家，保護這塊土地像保護自己的財產，耕耘這塊土地像耕耘自己的命運？則台灣的前途繼續要被眼前這種貪婪投機的氣氛所侵蝕腐壞。

我小時候唱「我所愛我所愛的大中華」，每次唱到「我願與你同享一切榮辱，願與你共嘗一切甘苦」，總感動得泫然欲泣。今天才警覺反省，為什麼沒有一首歌教我們對台灣有同樣的情感？多少人對台灣有「同享榮辱，共嘗甘苦」的心意？我答不出話來，只覺得惆悵。

一九八九・八・二十九／聯合報／二七版／聯合副刊

是白吃的午餐，還是寅吃卯糧？

——我對延長十二年國教的看法

行政院長李煥提出延長國教為十二年的構想之後，教育部上下動員，著手準備這個大計畫。一些教育工作者曾經零零落落表示過不贊成的意見，但在目前這個政治熱季當中，討論教育政策的輿論聲浪十分微弱；而在家長和學生的立場，直覺反應當然是教育越多越好，能免費更好。但了解今天教育問題癥結的人，不敢樂觀相信天下有白吃的午餐。事關百年樹人這麼重大的政策，不該在一語定案的情況下進行，我覺得有非常多問題需要攤開來討論。

根據教育部今年才編印的《中華民國教育統計指標》，七十七學年國中畢業生升學率是百分之七十九點五一，國中畢業生就學機會率超過百分之一百零四，而高級中學教育（高中、高職、五專的前三年）學齡人口粗在學率接近百分之九十。這些數字比起先進國家毫不遜色，同時揭露一個簡單事實：現在國中畢業的升學問題，絕對不是升學機會不夠，甚至有些高中高職仍招生不足。教育部若用延長國教來保證高中階段入學機會，顯然不是當務之急。但國中生為升學而競爭得頭破血流也是事實，問題關鍵何在？

第一，現有的國民教育資源分配不均，城鄉差距甚大。家長如果有能力「逐水草而居」，一定是鄉下孩子往城裡跑，城裡孩子往明星學區跑。

第二，學生的志願不只是有高中可讀，而是要擠入將來有考上大學希望的明星高中。真正的升學瓶頸是在高中入大學。

第三，如果照目前大略訂定的學區分發免費自願入學方式，有極多技術性問題等待解決：（一）有多少人會自願不升學？（二）現有高中和高職學生比例是三比七，如果自由選擇入學，有多少人會自願升高職而不升高中？（三）如果按戶籍分發，明星學區將比目前更爆滿，偏遠學區學生考大學更加不利，憑居住地和抽籤決定前途，難道就叫做公平？（四）如果按國中成績分發，則國中階段的流血拚鬥仍免不了，到底是解決了什麼問題？

第四，一切升學問題的罪魁禍首，在於高等教育機會不夠，但大學的「自由化」程度卻是各級學校中最差的。辦學標準、招生名額、科系設置，乃至學費收取，都受到嚴格限制。現在採行的低學費政策，一方面拿全民納稅補貼了少數——通常社經地位較高——的人享有高等教育，是謂不公平；一方面使得私立學校無力改善品質和增加學生，是謂無效率。「雙重效果」，雙重損傷了高等教育機會。

教育問題錯綜複雜，當然不只前述四端。但政府若有能力增加教育經費，首先應該改善現有國中品質，補貼鄉村地區教育資源；若要增加升學機會，首先應使辦學機會自由化。無論從公平或效率的角度而言，高中階段的免費分發入學都不是當務之急，反而美麗的幻象中充滿陷阱。

世界銀行的沙卡洛保羅（G. Psachanopoulos）今年六月在加拿大蒙特婁的第七屆「比較教育世界會議」中提出一份報告，根據各國教育共同經驗而列舉一些通則，例如：

——社會對高等教育需求很高，無法抑制。

——私立學校設立不只應該允許，而且應該鼓勵。

——公共教育預算主要應使用於人口中的貧困部門（例如鄉村地區的初等教育）。

——政府公共預算不足以應付教育擴張，選擇性的受教者負擔成本才算公平，高等教育尤然。

看他山之石，此地的教育工作者應該心驚，因為台灣現況幾乎和前述每一點原則都違反。事實上，在政府急切準備延長國教的時候，不妨先誠實檢討一下當年準備倉促下即推出的九年國教的成績單。一直被宣揚為政府「德政」的國中教育，今天成為各級學校中品質最差、問題最多的一環。受教育的場所，變成受挫折的場所。所以不但校園暴力越來越多，社會上的青少年犯罪也多和學校裡得來的挫折感有關。「台灣經驗」中美好成功的部分如果歸功教育，那麼同屬台灣經驗的急功近利、暴戾蠻橫、膚淺短視的社會氣象，難道不該由教育負責？

現在延長國教十二年的理想，我怕像很多其他政策一樣，表面上是提供白吃的午餐，一時間皆大歡喜，但長期評估，寅吃卯糧而已。

一九八九．九．十一／聯合報／〇四版／焦點新聞

從中國羊到水門案

美國賓州大學法學院的大廳，有一座形貌似羊的動物雕塑，基座上寫著「中國羊」。在這裡進進出出浸淫法學之中的教授和學生，來往都要經過這隻中國羊。

法律和中國羊有什麼關係？

大學裡念過「法學緒論」的人，不知有沒有產生一點聯想。中國「法」的古字是「水」、「廌」、「去」三者合起來的一個字，其中「廌」是一種獸，「似山牛一角，古者決訟，令觸不直」。

古時候，斷是非要聽天命，讓有角的獸來作審判，這是「法」的觀念的緣由。「中國羊」和法律的淵源出自這裡。一直到今天，「中國羊」的故事提醒念法的人兩件事：一方面，法是要「觸不直者去之」，為了強制去除社會的不正義。但另一方面，人類社會從依靠天意、命運、迷信、蠻力、弱肉強食這些叢林法則，進步到有一套講求證據推理、符合公平正義的法律制度，其中文明演進的關鍵，正在於將決斷是非曲直的工具交為社會公器，不再信託不可知的怪力亂神，也不為一二人的私相授意所壟斷操持。這正是人類民主文明的基石。

在這個漸漸開始感受到蕭瑟秋意的季節裡，想起這隻中國羊的故事，我的感覺不只是悲涼而已。如果有人還是沒弄明白我要講的重點是什麼，那麼我想再談一談水門案。

今天提起水門案，大部分人可能只記得尼克森總統辭職下台，還有些人津津樂道的是《華盛頓郵報》兩名記者的鍥而不捨。事實上，這也是一個司法和行政勢力對決的案子。從白宮人員可能牽連涉案開始，來自白宮的各種掩飾和干預動作不斷。尼克森總統從最初的全盤否認，到對被告施加壓力要他們保持緘默，到以行政特權和國家安全為由拒絕交出辦公室的錄音帶，以致終於被彈劾而辭職。而在司法和檢察部門的努力，則包括由哈佛大學法學教授出任特別檢察官，特別委員會向總統票傳證物，法官堅持命令總統交出錄音帶，司法部長和副部長寧可辭職也不肯執行總統要求解任特別檢察官的命令等等。

在水門案的行政和司法力量纏鬥的曲折過程中，行政部門的種種動作，看在我們眼裡是絲毫不足為奇的。中國的政治文化之下，不知有多少類似的翻版故事，最近就有一齣正上演得熱鬧，讓老百姓對行政官僚體系的隻手遮天、顢頇專擅「溫故知新」。但美國司法部門抗拒外力、不屈不撓的獨立精神，卻是我們社會罕見的。也許這正是「中國羊」演進到現代法治的可貴之處：決是非公斷的，不是天意，不是特權，司法公器而已。

從「中國羊」到水門案，別人的司法制度成為民主政治的基石，我們的司法卻好像專為行政權力「墊腳」——原先設計作為制衡的工具，現在反而成了「幫凶」。

我這話說得太重了嗎？我們社會裡「打著司法反司法」的例子的確是屢見不鮮的。就算不談喧騰一時、唯有「痛心疾首」可為之形容的部長關說案子，近者如劉俠參選到處碰壁，理由都是「於法不合」，但她所不合的《選罷法》和《公職候選人檢覈規則》，難道不是根本違憲嗎？成為資深民代護身符的《自願退職條例》，在立法院未經三讀就全案表決，立法程序不合法的法律，應該有什麼效力呢？《動員戡亂時期臨時條款》，程序上是合法了，但內容和精神嚴重背離憲法——不過，就算真的違憲又怎樣呢？《違警罰法》中若干規定，經大法官會議解釋認定為違憲已近二十年了，現在不是仍可由警察依職權適用嗎？

法律可以「隨心所欲」地使用到這種地步，被踐踏扭曲莫此為甚。以政治力量干預法律執行，固然是可悲，假借法律手段遂行政治目的，難道不是更可恥？也許，我們寧願回到從前，任「中國羊」斷是非也就罷了。聽天由命，也許還讓人比較服氣呢！

一九八九．九．二十六／聯合報／二九版／聯合副刊

星期一早上的夢

星期一早上八點半。

空氣冰涼而新鮮。風吹來，有一點青草香，好像冰透的白葡萄酒給人那種清脆又甘爽的感覺。天空很藍很藍，幾乎是透明的。四周極其安靜，除了偶爾一兩聲鳥鳴，只有空氣中的涼意在漸漸暖和起來的陽光裡一點一點融化的聲息。水面上是幾隻大水鴨，與世無爭似地悠閒。漂著幾片羽毛的水波輕輕一波一波蕩到岸邊。一個牽著一隻大狗、滿頭白髮好好看的男人走過，用簡直是心滿意足的愉快聲調說：「真是個好天氣啊！」

我是在一個夢境中嗎？

我一定是在做夢吧！昨天，前天，上禮拜的此時，我正在做什麼呢？在台北人擠人的街頭，在馬路上永遠排成長龍的車陣裡，心情焦躁地看著計程車裡計時表一秒一秒過去，聽車子喇叭一聲一聲催人。四周是汙染的空氣，混濁的天空，滿地垃圾，我像其他所有台北人一樣，就是在這樣的環境裡過日子，一天又一天！

所以，坐在倫敦海德公園的水塘旁邊，我幾乎懷疑自己身在夢中。這樣美麗寧靜的環境固然是台北所沒有，這樣安詳清朗的心情也是在台北時候尋不到的。我問自己：為什麼總是到了國外，就生出這種驚歎似在夢中的感受？這樣的環境，這樣的心情，在台北難道竟是奢求？

我想找出一個答案來，糾正自己「外國月亮比較圓」的心態。雖然是公務出國開會，多少有點度假心情，才把一切觀點「浪漫化」了吧。英國難道沒有犯罪案子、沒有勞資糾紛、沒有政治醜聞？我拿海德公園的一角，拿一個遊客的心情，和台北「要拚才會贏」的氣氛相比，是不太公平吧。

我努力想出一些理由，但無法說服自己平息心中的慨歎。我很清楚我不是盲目崇洋，就像我很清楚台灣的社會確實出了毛病。這幾年以來，我時常隻身在國外旅行，也許去的都是「已開發」地區，雖然置身陌生城市也從不擔心害怕。我輕易知道如何四處行走，不必時時擔心被詐騙，社會有既定的軌道可循，有秩序可以信靠。

但是，在台灣，一個外國遊客從出機場開始，坐計程車可能被敲竹槓，到西門町有色情黃牛，到東區有蓬勃的攤販和癱瘓的交通，住在圓山飯店看見發臭的河，做生意要擔心被仿冒剽竊。這些不是欺負外來客，而是每一個台灣老百姓每天要過的真實生活。就在這樣的環境裡，我們眼睜睜看違法的行為得逞，投機的行徑獲利，「脫序」變成正常，說謊的人還有群眾鼓掌。再這樣一天一天下去，黑變白，白變黑，根本無所謂黑白是非的日子就要來臨了。

我在海德公園，看藍天綠草，和擦肩的陌生人微笑打招呼，公園一角的「演說家角落」有人正自由發抒言論。這樣的情景，難道不是現代生活的基本要求？為什麼於台灣民眾而言，竟像夢境一樣難尋？回頭想想這個生我養我、現在卻被稱為「垃圾島」的家鄉，難道，這個美其名為「轉型期陣痛」的經驗，才真是惡夢一場？

一九八九．十．三／聯合報／二九版／聯合副刊

從地震新聞說起

舊金山大地震發生之後幾小時，我從電視午間新聞看見這個消息，馬上習慣性地轉台——轉到我們的「第四台」小耳朵，果然正是美國廣播公司主持《夜線》出名的記者泰德・卡波（Ted Koppel）的訪問實況。卡波正電話訪問當時在法蘭克福的加州州長杜梅津。德國才是清晨五點半左右，杜梅津的聲音不能說是不清醒，但回答之間很多資料還是要由卡波提供。在對人民傷亡表示哀悼之後，杜梅津不知是為了「宣揚政績」或者表示樂觀，特別強調由於平日的準備工作，他有信心這次傷亡損失能減到最小。

卡波臉上沒什麼特別的表情，但他一秒鐘也不放鬆地追問，發生地震這種天災是無從預料也無從準備起的，請問州長先生所謂的「準備」是指什麼？

我不必再把這段訪談內容翻譯下去了。看卡波的訪問節目，最精采的部分都在問題本身，卡波的發問技巧和氣勢，常常讓人歎為觀止到反而對受訪來賓的答案不大注意了。

看卡波的訪問，不由得對台灣目前的新聞事業產生聯想。講到新聞記者，恐怕社會上對他們有反感的不在少數。如果能夠，我猜有人恨不得把記者綁在市集上受人民「公審」——確實有人對於怎樣處理不實新聞報導有過類似的建議。最近新出來一個三台聯播的節目，聽說是新聞評議會表達新聞界「自律」的苦心，要廣大觀眾「強迫收看」來一同分享，也算奇特的現象了。

台灣的新聞界果真這樣「惡霸」嗎？我某些程度上同意，而且可以舉出一大堆例子來共襄盛舉。但是，另一方面，碰到某種關鍵，新聞界也有忽然變得又聾又啞的例子。半年多前布希總統訪問中國大陸在此間引起的新聞風波，最後文工會被「萬箭穿心」才收場。國慶日三台電視新聞變成生日快樂歌大會串，也引起很多討論和指責。把這些例子攤在眼前，則新聞界不但不見惡霸的手采，連到底能不能自主都很受質疑。

根據我和一些記者朋友交往的印象，有時不免對他們心生同情。台灣的新聞工作者受到很多批評，確確實實也有很多缺點，例如搶新聞不擇手段，專業修養不足，藉媒體表現明星姿態等等。不過，這些現象很大一部分是制度下的產物，新聞機構本身的問題，使得很多原本優秀的人才，一旦投身其中就很難再維持清者自清，濁者自濁。同流合汙是一條最常見的出路。

不過，光是怪罪外界的壓力，似乎成了新聞工作者太輕易拿來護身的藉口。中國社會對知識分子的期望，有些固然看重外在條件例如學識、能力、職業，但主要還是強調知識分子必須具備的內在性格，例如不妥協、理想主義、獨立精神、關懷社會等等。從這個角度來要求，台灣的新聞工作者，縱然專業技術能力和設備「配備齊全」，能擔當知識分子責任的又有幾人？

不過，環視整個大環境，新聞界之外，就算學術圈裡，政府官僚系統裡，個個飽學之士真正能夠抗拒政治壓力，維持獨立精神的又有幾人呢？教育越受越多，知識分子精神越來越少，其間的「負相關」真是耐人尋味！

一九八九・十・二十四／聯合報／二九版／聯合副刊

山中傳奇

都市裡的現代人，想到山中，多半有些浪漫的憧憬。如果聽到山中傳奇，更不免聯想起胡金銓電影裡空山靈雨典型的虛幻故事了。

我今天要談的山中傳奇，卻是再平凡不過的真人真實故事。

教育部有一個基層教育訪問活動，專門探訪偏遠地區國民中小學，兩年來已經去過一百五十多所學校。趙金祁次長初次跟我談到這個活動時，感慨的口氣聽來卻有些激將的意味：「很辛苦很辛苦。怎麼樣，有沒有興趣跟我們一起去看看？很苦很苦。」被人下了戰書，我當然沒有退卻的餘地了。

就這樣，我跟著教育部十多位官員去了嘉義縣阿里山的幾所學校。一路上，料想著可能見到的荒僻景象，我對自己作心理建設：既不是上山郊遊，也不是去觀賞山地奇風異采，尤其切切不能抱著城市知識分子自以為是的悲憫姿態。我還牢記著「庭訓」，是合格小學教師的媽媽在我出發前諄諄叮嚀：「你去看山裡的小朋友，要講他們聽得懂的話，不要講大學教授的話。」

這樣百般地預作心理準備，這次進山經驗還是帶給我許多震驚和感動。山地物質條件不好，原是預料到的，但親身體驗仍是一番特異滋味。山路崎嶇不平，坐車顛簸像在「行船」，車子底盤幾次卡在凸起的大石塊上動彈不得。到阿里山鄉最偏遠的豐山國小的路上，聯繫對外交通的橋在九月颱風時候被洪水沖垮了，汽車開不進去。就在斷橋處，三三兩兩一排——怎樣也想像不出來的——摩托車隊在等著我們。家長們聽說教育部的「長官」要來，放下手邊工作，騎著摩托車出來「載客」。包括次長在內，我們每個人都是坐在摩托車後座給載進學校的。

情況艱險的當然不只是路況。全校師生不過三、五十人的小小學校，接山泉的水管給颱風沖毀了，大家只有混濁不堪的灌溉水可喝。破舊又漏水的單身教師宿舍裡，離鄉背井真正以校為家的老師還要擠上下鋪睡覺。自己才是個大孩子的年輕女老師臉上有一塊傷，是山路上騎摩托車摔的，她靦腆地笑：「我剛來，技術還不好，以後路熟了就不會摔了。」

這麼惡劣的生活條件，要不是這批可敬的老師們毫無保留的奉獻精神，和家長「力不足但心有餘」的熱忱，我簡直不知孩子們如何能維持求學動機。放學時刻，車子走了好久，綿延好幾公里的山路零零散散一直見到學生。他們走幾公里路上下學是不稀奇的事。一路開車陪我們的龍眼國小的郭聰明主任忽然放慢車速，探頭窗外喊學生名字，學生恭恭敬敬站好大聲叫：「教導好。」我們不解，因為這不是郭主任學校的學生，他解釋是以前在這邊教過。「以前教的你還記得名字？」他不答，安靜地繼續開車，顯然我們問得多餘。

描述山地學校的困難景況，心情卻不是洩氣的。我在山裡見到的每一個人，從校長到老師到學生到家長，每個人都生氣勃勃。他們指著桌上的魚，說是溪裡抓來的，「沒有汙染」，我在心裡直說謝謝老天，台灣還有這些人是沒有汙染的。

難得的是，同行的教育部人員表現了同樣質樸苦幹的精神，教我對公務員重新有了一番評估。一路上，我只能做「跟班」，從他們的言語行動中觀察到旺盛的士氣。看他們車裡還在讀資料，作筆記——路上隨時要開檢討會。座談會裡不要聽簡報——我們想聽聽老師有什麼意見。廚房廁所一間一間進去看，圖書室裡的書舊了反而表示讚美——老師一定鼓勵孩子看書了。家長說要招待吃飯——次長知道會罵，回去要記過。指給我看這麼偏遠的學校還有制式的運動遊戲器材，和廚房裡辦營養午餐的標準消毒設備——都是這幾年的成績，我們的確發現也改善了不少問題。只有說最後這幾句話的時候，我從這些公務員平實自抑的神情中窺見一絲絲欣慰得意。

幾個鐘頭車程，我又回到台北，走進回家的巷子裡，窄窄的公寓一樓掛著「蒙特梭利教學法」的幼稚園招牌。我忍不住想起山裡，在我們面前徒手抓起一條一尺長的蜥蜴的小女孩。能有益山裡教育的，不是什麼蒙特梭利，多一點精神和實質鼓勵而已。正在聲嘶力竭忙競選的民意代表，將來審教育預算時可有耐心想起這山中傳奇？

一九八九・十一・七／聯合報／二九版／聯合副刊

更好

最近在電視上一直聽見一首歌，好些甜蜜微笑的臉唱著什麼更好更好。我有一次終於耐心把它聽完，才明白唱的是「好還要更好」。

今天的社會景況，富裕和混亂的程度同樣是前所未有。在「台灣經驗」的光圈環繞之下，卻有一種風聲鶴唳的氣象在瀰漫。我在不同場合聽見過各種異曲同工的懷舊聲浪：以前沒有那麼多人吵吵鬧鬧；以前的學生哪有那麼多意見；以前坐計程車不會害怕。最輕易冒出的一句感慨是：乾脆再恢復戒嚴好了，至少不像現在那麼亂。

在這因為選舉而顯得亂上加亂的時刻，呼喚著「好還要更好」來催化人民對安和樂利的懷念與期待，這首歌忽然「密集安打」的用心自然十分明白。的確，如果我們緊閉門窗，把汙染的空氣、混亂的交通、惡化的治安、投機的風氣統統隔絕在外，那麼，安居室內聽這首〈好還要更好〉，確能營造一些溫馨幸福的氣氛，也讓人從現實世界的失望中生出一些希望來。

問題是，台灣經驗中稱得上「好」的到底是那一部分？今天確實比昨天好嗎？明天的更好又是如何能做到呢？

我有一次在國外參加一個研討會，竟然有一位美國教授發表論文討論台灣的儒家思想。他的研究是台灣一個半官方基金會資助的，把儒家精神大大頌揚一番，也嚴厲批評了美國當今的道德敗壞，言下不勝「世風日下」的唏噓。我對他的言必稱孔子正不知如何反應，一位與會教授卻發問了：「你認為過去的社會比較好，是對誰而言比較好呢？對婦女比較好嗎？對勞工？還是對黑人？你記憶中的美好舊時光，恐怕不是每個人都能分享吧！」

這段問答，希望對專門稱頌所謂團結和諧景象的人有所啟發。當很多人把解嚴視作打翻了潘朵拉的黑盒子，抱怨禍害無窮的時候，也許我們應該試著想像一下：如果今天有人「妖言惑眾」是不好，難道過去箝制言論自由是好？立法院打打鬧鬧是不好，安靜統一的「舉手部隊」是好？社會運動是不好，強勢團體的長期蟠踞既得利益是好？敵情意識模糊是不好，長期強制阻絕兩岸天倫是好？如果團結是由消除異己而來，安定是由強迫順服而來，和諧是由不准異議而來，究竟有什麼好？

今天的自由開放，是歷盡辛苦才掙得的一點民主成績。這並不表示我們應該對今天的社會病態視若無睹，但也不表示應該把混亂歸罪於革新開放。治安這麼壞，投機風氣這麼盛行，有人主張用重典，有人責備民眾貪婪又不守法，卻很少見到政府官員正視病源。這幾年以來，行政上特權橫行，司法自毀公信力，金錢遊戲規則明顯偏袒「大戶」，累積外匯卻輕忽公共投資，民間游資不加導引迫使轉入地下，財富差距拉大。民眾的怨懟心理，能撈就撈的心理，哪裡是無由而生？完全是制度上的賞罰原則所致！這些政策上的失誤都是有明顯責任可追究的，卻一逕要求老百姓道德自律，難道哼哼唱唱「好還要更好」就能美化困境而自動解決問題？

公共電視最近播出一部有關甘迺迪家族的影集。甘氏兄弟熱心民權運動，盡力保障黑人權益，卻受到保守勢力極大的抗拒。有一次為了堅持讓一名黑人學生能夠進入白人學校就讀，引發了後來調動聯邦軍隊的激烈暴動。兩兄弟徹夜等候消息，天快亮時局勢才緩和下來，約翰甘迺迪總統疲憊不堪地問他弟弟：「我們是不是開啟了第二次南北戰爭？」當時是司法部長的羅伯想一想後回答：「不，我想我們剛剛阻止了它。」

很多時候，短痛是解除長痛必須付出的代價。今天的混亂，是解除長期威權控制的代價；但是，如果不能忍痛割捨為了眼前利益的種種便宜手段，則被財經學者嚴厲指責為「目光如豆」的政策將使整個社會付出更沉痛的代價。我們有沒有魄力，忍一時之短痛來避免長痛？我們正徘徊的十字路口，是避免了一場戰爭，還是通向另一場戰爭？自詡著「好還要更好」的決策者，要對老百姓的期待給一個答案！

一九八九・十一・十四／聯合報／二九版／聯合副刊

世說新語・司機篇

「明天會更好——笑。」

和平東路西向東要往新生南路左轉，等完第二次綠燈了仍然轉不過去。光這一個路口，車裡計時表跳滿了五分鐘，「ㄅㄧ」一聲響起的時候，司機先生重拍了一下方向盤，我以為他要開口罵髒話了——如果他罵了我也會原諒的——他卻哈哈大笑起來：「所以人家說得沒錯，」他幾乎是手舞足蹈那麼興奮，「明天會更好笑！」

我以為這位司機先生是對塞車「觸景生情」，卻又不是。他只是不斷地形容台灣現在有多荒唐，好比說：「我現在開車乖得很，喇叭都不敢亂按。按下去，搞不好，就給你ㄅㄧㄤˋ一下。」我愣了半天，才想清楚他說的是槍。

「如果明天會更好當然很好，」看來他並不完全悲觀嘛，「可是光用講的怎麼會更好？所以明天會更好笑啦！」他又自顧自大笑了一陣。我卻不知道碰見的是神經病還是哲學家。

「那些開自用車的還不跟我一樣，只是車伕而已。」

「場景」又是塞車。在台北，只要在路上，好像只有塞車這一幕布景。

這位司機先生是「交通專家」——哪位司機不是？——跟我談完台北六條主要東西向道路應該如何規劃之後，開始指著前面的車陣罵人：「你看那些自用車，每輛車裡都只有一個人，浪費！買了車自己神氣，害得大家塞車受罪。

「其實在台北開自用車，有什麼好神氣的？為了車子，天天卡在路上動彈不得，還不跟我一樣，只是個車伕而已！」

這位司機先生，既深諳我的不買車哲學，又有自嘲嘲人的本事，可算是「洞察型」司機。

「大家在比爛。」

有些時候，電視節目實在太難看，撥來撥去也找不到看得下去的，只好戲言一句「三台比爛」。

沒想到，也有司機先生對我發出「比爛」的感想，只不過他罵的是台灣這幾個政黨。

這位司機先生說了很多難聽的話，我也不必複述了。教人難過的是，他鋪述的不過是些簡單的事實而已，就構成強烈的罵人效果。例如雇流氓打人，例如證據確鑿的賄選（我們那邊每家都有送來彩色鍋），例如不正當暗示的政黨廣告，例如不公平競爭的選舉手段（要開酒席七千桌，報上還敢登出來？我要招呼我的司機朋友都去吃，不吃白不吃）。我在想，一個執政的黨，一個號稱準備執政的黨，在一位計程車司機眼中不過是相互「比爛」而已。如果這位司機先生是屈原，誰是楚襄王呢？

「你們這種人怎麼會懂。」

「其實台灣還是有很多窮人的，」這位司機先生一路都很安靜，但在一個紅燈變綠燈的路口，看見摩托車隊像潮水一般湧過來的時候，他忽然不知為什麼開口提起了台灣的窮人，接著又加上一句：「你們這種人怎麼會懂。」

他講起台北那個橋下，每天清晨好多人等著打零工的情景。「有些人自己拿著扁擔，老的少年的女的都有，好多好多，像螞蟻一樣。」

我被他說的「像螞蟻一樣」這句話所震驚。但我的意思不是說這位司機先生像詩人，人生的悲苦常常是語言也不夠形容的。

我不能釋懷的是他說「你們這種人怎麼會懂」。在他的眼裡，有一種人的世界和另一種人的世界是沒有交集的。我很想辯駁說不是這樣，但不知怎麼我卻說不出口。

張五常先生為了驗證他的價格理論，除夕在香港街頭賣橘子，後來寫了《賣桔者言》，不但是理論的印證，也教育了很多人。

台灣很多官員，談起政策道理，既像老師又像道德家那樣「口水比茶多」，日日「往來無白丁，出入有黑車」，與民間社會卻脫節甚遠。我們不期望坐大黑車的能寫出「開車者言」，不過，有機會應該聽聽開車的說些什麼，至少不讓視野被一片黑玻璃阻隔！

一九八九・十一・二十一／聯合報／二九版／聯合副刊

異端

我教「社會學」的導論課，這幾個星期正上到「偏差」、「社會控制」的章節。在這個「台灣變成貝魯特」的時刻，心中感觸倍於往昔。

每一個社會，依照它的風俗道德、政治意識、宗教信仰，總有一些既存的言行規範。超出大多數人界定的正常範圍之外，就被視為偏差。一個人談戀愛昏頭而忽哭忽笑，固然被罵一聲「神經病」；向宗教或學術上的「正統」表示異議，要被指為邪說異端；如果膽敢抗拒挑戰政治權威，那就是革命造反了。

如果社會控制足夠嚴密，把一切異端除之務盡，使人人思想言行合於「標準」，社會安置在平靜秩序的軌道上，是多麼理想啊！

只不過，這種理想，只合於「一尊」——因著百花齊放才得見的文明進步要從何產生？

在羅馬教廷是唯一權威的時代，伽利略宣揚太陽是宇宙的中心是異端，他被審判囚禁而死。在相信人是神創造的時代，達爾文的演化論是異端，物種論的教科書被燒掉。在蓄養販賣黑奴習以為常的時代，相信人權平等是異端，自由平等立國的美國都為此打了內戰。在希特勒相信日耳曼民族的優越無與倫比的時代，猶太人的宗教文化是異端，幾百萬人死在煤氣室。在滿清專制極權的時代，「革命奮鬥救中國」是異端，造反的革命「亂黨」在市集上斬首曝屍——直到革命成功，他們才被稱為「烈士」。

看文明的歷史，今天的我們，簡直不敢相信人類曾經如此愚昧啊！

地球繞日而行，人類生而平等，這些今天看起來如此簡單自明的道理，都曾經是異端。在頑固的信仰之前，在僵硬的教條之前，在不容他說的絕對權威之前，在蠻橫的政治強權之前，多少人被扣上「異端」的帽子而流血喪命。

總算，流血之後，總也有人前仆後繼。信仰慢慢在事實證據面前動搖，絕對權威慢慢在懷疑的態度面前動搖，異端才有可能慢慢變成了普遍接受的新知識和新信念。

這樣一種容忍的態度，這樣一種懷疑的精神，是歷經多少多少悲劇才得出的領悟。只是，今天我們真的從過去的愚昧中覺醒了嗎？我們的眼睛睜開了嗎？我們的心胸學到了容忍嗎？

今天的台灣，在各執一端的爭執中，處處霸氣十足。好像真理只有一個，主義只有一種，電視台只有一種聲音，課本裡只有一種教條，腦子裡只准有一種思想。超出「標準答案」範圍的人，被貼上「妖言惑眾」、「混淆視聽」、「邪說異端」的標籤，用好像除惡務盡那樣的正義自信姿態去追打封殺他們。

比起伽利略被囚禁，物種論被焚燒，革命分子被斬首，我們今天對待異端的胸襟，進步了多少呢？

我重讀布羅諾斯基的《文明的躍升》，看見他語重心長地再三提醒，科學的知識，不是絕對的真理，而是誤差的容忍；人類求知，不是對已知者崇拜，而是對已知懷疑。回頭想想我們，德先生和賽先生喊了將近一世紀之後的成果，我不寒而慄。

一九八九．十一．二十八／聯合報／二九版／聯合副刊

風雨中的寧靜？

我的研究室在高高的樓上，不面向著大街，所以不大吵，但平常也不是一個很幽靜的地方。樓這麼高，就算是無風無雨，窗口也總灌進呼呼的風聲，間歇著樓下巷裡飄進來的叫賣聲，和偶爾劃過天邊的飛機聲。如果門開著，走廊裡人來人往，同事經過探頭打個招呼，學生進來討論問題。雖說是教授們做功課的地方，倒也「雞犬相聞」。

不過，如果門窗緊閉，景象就全然不同。關上窗，噪音灰塵和風雨都隔絕在外，連窗外的世界也變得不真實起來。附近沒有高樓阻擋視線，看出去幾乎是「一望無際」，近處是一些很醜的建築物的屋頂，遠處可以望見圓山飯店，天氣好些還可遠眺陽明山上白色的華岡建築。這個場景沒有人物車輛在活動，嵌在玻璃窗戶框裡，幾乎就是靜靜停在牆上的一幅風景畫。

我有時「自閉」在研究室裡。屋外的世界，再怎麼吵嚷紛雜，也變成了牆上的一幅畫，施施然無聲無息。掌上的書本紙筆，屋裡的桌椅櫥櫃，都是我熟悉的世界，一個我可以控制的世界。這樣安靜熟悉的感覺，常讓我依戀不想離開。

窗外的世界，的確沒有什麼和風美景。吵吵嚷嚷的選舉過去，卻不是一切歸於平靜，我們可以預期著繼續不斷的吵吵嚷嚷到來。這次選舉，讓全國老百姓都見識到為贏得選票而不擇手段的醜惡短視作風。在一次開會中，我親耳聽見大學教授們說：

「民主太可怕了！」

「選舉可能只會選出專門鑽營的人，不如不要選舉算了。」

「還是恢復戒嚴好了，至少我們這些好老百姓過得比較安心。」

蜷縮在我安靜舒適的研究室裡，我揣摩著這些言論背後的心情。的確，這個鬧烘烘亂七八糟的世界，充滿著我們不習慣見到的嘈雜亂流，讓人越發對溫暖熟悉的舊窩依戀。我在想，如果一切停留在舊秩序之下——

沒有示威遊行，沒有開放言論，就天下太平了吧！

我只扮演好傳統的女人角色，專心燒飯生孩子，要比現在這樣辛辛苦苦以知識分子自居輕鬆多了吧！

老百姓不必有知識，唯一學會的一樣本事就是順服，把苦難都歸於命運，生命就容易忍受多了吧！

甚至回到鴉片戰爭之前，中國緊閉門戶，沒有西風東漸，沒有民主思潮，我們還能保有

「四方之中」的自我陶醉吧！

是呀，這個「民主太可怕了」的心得，我在我的研究室裡原來早有領悟。只要緊閉門窗，不教風雨進來，自有我熟悉的天地，自有我可以控制的秩序，是一個教人多麼怡然自得的世界。

卻不知為什麼，我想起中學時候讀過的《貓的天堂》。一隻受人豢養的大肥貓，一日去到戶外，受不了風吹雨打，才發現自己早已失去了享受自由的能力。牠回到主人身邊，挨一頓打，吃一頓飽，蜷在火爐旁，滿足地歎一口氣，這才是貓的天堂啊！

我的緊閉著門窗的研究室，就是我的天堂嗎？是我可以安心獨享「風雨中的寧靜」的處所嗎？

也許是吧。我但願是呢。

只不過，屋外急風驟雨，關上了窗，難道就真能擋住風聲雨聲不使入耳？

一九八九・十二・五／聯合報／二九版／聯合副刊

雲深不知處

最近新認識一個朋友，送我一本他的著作，是特別為引導小朋友思考數學問題而寫的故事書。

我開始認真讀這本書，自己都覺得一本正經。在這個五色五音雜陳，令人耳聾目盲的世界，空出腦筋，空出心情來讀一讀兒童和數學，好像有點不能等閒視之的目的。這點一定會令送書的朋友大為失望，他的原意不過是讓我遊戲一下的。

就在認真研究諸如「為什麼梯形面積是上底加下底乘以高除以二」這一類問題，和不時發出恍然大悟的驚歎之中，我的確得到了一些遊戲的樂趣。不過，卻也有一些不像遊戲那麼輕鬆歡樂的心情。很多題目，一見面之下，多年考試經驗訓練出的「標準答案」立刻浮現出來，而且有點揮之不去的效果，十分妨礙了思考的能力。當初得到這些答案，是經過一段怎麼樣抽絲剝繭、循序推理的思考程序，已經尋不回來了——或者根本從來沒有學會過？——腦筋只是頑固地停在固定答案上，找不到一條出路。

我一直以為自己正慢慢往成熟走去，做一做數學題目才發現，隨著成長，有一些定見反而遮蔽了視線，使人喪失了天真直觀的能力，好像世俗生活的經驗反而抑制了人的潛能。讀一讀故事書卻引發出這種心得，令我大為懊惱。

不過，看看最近一些新聞，我才發現，犯同樣毛病的實在大有人在。只不過，他們大概沒有機會讀數學書，比我更欠缺了反省的能力，身在迷霧中還不知所以。

在這個「選後算帳」的季節，報紙上每天看「本黨同志」的愁眉苦臉，耳聞一片檢討自責、惕勵奮發之聲，也算是一種難得的景觀。選舉失利，最直接的答案就是動員失敗、輔選不力。所以有人急著宣示黨務革新，有人重提「當選掛帥」原則，強調絕不能在明年一月的基層選舉再度失利。

看見固守當選掛帥策略的人散發出的戰鬥氣息，我有點旁觀者清的感嘆。把當選掛帥當成下次選舉獲勝的利器，看起來是不作他想的標準答案，其實妨礙了反省問題成因的思索能力。這次選舉中，再沒有比「選票至上」更明顯的「最高指導原則」了：被人指為「最大公開賄選」的證交稅政策，難道還不夠當選掛帥？被人譏為「像萬年國會一樣成為執政黨負債而非資產」的電視媒體壟斷，難道還不夠當選掛帥？只忙著動員組織而忽略民心趨向的謀略，難道還不夠當選掛帥？但結果又是如何！可見得碰上選舉這個題目，「當選掛帥」雖然是想當然耳的標準答案，但到底要走過怎麼樣循序漸進又合邏輯的路程才能達到目標，恐怕很多正痛切自責的「同志」還是沒有思考清楚解題關鍵。

有一次和寫故事書的這位數學教授朋友談話，我竭盡我全部數學所能地對他表示敬意說：「你們念數學的人，憑著一些符號作抽象的思考和推理，真有趣啊！」沒想到他面露為難之色，對這種外行人的恭維不甚領情的樣子。他說，數學不只是抽象的符號而已，最初也是為了解決現實生活中的困難而來，只不過是用符號來把很多現象化繁為簡。

對他這幾句話，我至今似懂非懂。但我聯想到，很多民主制度的設計，既不只是政治符號，也不只是空氣口號而已。例如選舉這件事，其實是把長期施政的成績、民心向背、人人平等這幾個概念，藉投票動作來化繁為簡。如果只知選票而無視背後道理，就像只會操作符號而不知目的的數學家，同樣稱不上高明吧。

我不知道數學教授對我這番話又要有什麼評語，但這篇文章反正不是為數學而作。倒是那些困守著「當選掛帥」、「選票至上」為標準答案的人，不知能不能從故事書裡學到教訓。如果不訓練出合乎邏輯、知所先後的民主思考方式，恐怕徒有「身在此山中」的鬥志，卻終於難免「雲深不知處」的遺憾吧！

一九八九．十二．十二／聯合報／二九版／聯合副刊

湯與藥之間

和幾個最近回國的朋友聊天。幾年不見台北，大家的第一觀感都是驚訝於市容的改變。不過，接下來更驚訝的是，和高樓大廈「相得益彰」的往往是街角一堆垃圾，車水馬龍之間則展現舉世無雙的惡劣交通秩序和違規行為。大家都在問，到底是怎麼回事，是怎麼搞成這樣的。

除了「市容印象」之外，更熱門的話題是「選舉印象」。海外對台灣政治發展的了解，也許有點霧裡看花，這幾年不斷聽說的都是「台灣經驗」的光輝燦爛。經濟情勢一片大好，政治革新正在進行，外交局面也因天安門事件而對台灣發生樂觀轉機，這些因素應該都是有利於執政黨的廣獲支持，為什麼全力應戰的選舉卻出現讓人答不出來「選民到底在想什麼」的結局？大家同樣在問，到底是怎麼回事，是怎麼搞成這樣的。

我們教書的人，擅長的本事正是搬出各種書本上的理論發表「後見之明」。我用這個理論解釋，用那個理論解釋，但縱然聽來頭頭是道，自己心中仍是疑惑。直到一天晚上，睡前讀「床邊故事」，在《方勵之自選集》裡讀到一段話，忽然讓我生出一點心得。

方勵之一九七九年在英國劍橋寫給一位錢先生的信裡提到，英國式的守舊，是儘量不觸動傳統的形式，而只改變實質。例如古舊建築物外形不准改變，內部卻可以更新；光榮革命在形式上保留了王位至上，但卻實質地改變了封建統治的根基。

但是，「中國的歷史發展往往相反，魯迅曾經說過，中國歷來的革命喜歡在人的頭髮上打主意，每次改朝換代，首先改變的是頭髮式樣，或穿著打扮，但往往也僅此而已。所以，總是形式上變化很多而實質卻未變化，換湯不換藥。因而儘管封建形式被取消，但封建的實質一直能保留到今天。中國的農民革命歷來是打著替天行道為民請命的旗號，但卻沒有一次農民革命不是使一群新地主產生。」

方勵之的話，看起來是對歷史下褒貶，其實直指當時大陸各種政治動作「換湯不換藥」的毛病。有趣的是，這段話也可添為「一個中國」的注腳，因為許多台灣的發展經驗顯然頗有資格落入同樣的指責。

觀察台灣社會，最明顯可見的是各種外形的變化：高樓建起來、車子多起來、收入高起來。甚至在制度上也有若干可喜的進展：談民主、談法治、談言論自由、談人權平等，都出現各種傳統社會所未見的「機制」，在運作著現代的國家人民關係。

「湯」是換上了五顏六色，「藥」又如何呢？住在高樓裡，卻是很落伍的生活習慣；湧現新行業，卻沒有適應現代社會的新倫理；強調法治，卻屢屢在「皇后的貞節」上引人疑竇；強調民主，卻見選舉中買票配票動作不斷；很多原該受法律保障的現代制度，卻在政治動作下失掉實質功能。簡單地說，原本希望藉推行民主法治使舊社會的毛病藥到病除，現在功效不彰，原來是並沒有真正換藥的緣故。

方勵之談改革，認為「最好是法國革命方式，換湯也換藥；次之則是英國光榮革命的方式，不換湯而換藥；最要不得的是中國封建王朝的換代方式；換湯不換藥。」這段話，對大陸和台灣兩地同樣是教訓。只不過，照魯迅的講法，中國人的革命止於髮型衣式而已。這時候該讓阿Q上場了。他一定會說，髮型已經換了，就是一個新的人了，又何必管他腦袋瓜裡的想法換了沒有！

一九八九．十二．十九／聯合報／二九版／聯合副刊

大戰巴墟卡

有人說人生如戲，那麼，好一陣子以來，我們目睹的人生大戲，特別是政治舞台上，總不出掠權分贓、爭名奪利、欺上瞞下、挾勢自重一類的戲碼。熱鬧是熱鬧，演多了卻也讓人看出人生色厲內荏的一面。

倒不如反過來，偷閒品嘗一下「戲如人生」。戲劇化的故事，代著道出現世浮光掠影，又能讓人保持旁觀者的悠然和清醒。在這個時節，我推薦《大戰巴墟卡》。

「大戰巴墟卡」真是糟糕透頂的名字，年輕一輩大概會聯想成什麼電動玩具的新遊戲名稱。恐怕總是喜歡經典電影，或是懂得欣賞禿頭之後的史恩康納萊的人，才會一見之下立即明白我在講些什麼。

「大戰巴墟卡」這個名字一定是此地片商的傑作，原名「The Man Who Would Be King」，我也翻譯不出來，不知能不能勉強叫做「應該做國王的那個人」。講的是英國占有印度為殖民地的時代，兩個徒有紳士派頭其實騙吃騙喝的英國混混，深入印度一個偏遠部落，打的是發橫財的主意。他們輕易當上領袖，其中一人還在陰錯陽差之下被村民拜奉為神。他也越來越以神自居，卻偶然被揭穿，終於被信奉他的村民懲罰喪命。

這部電影故事不大複雜，但戲劇性很夠。導演約翰赫斯頓當然是一流導演，米高肯恩和史恩康納萊也是一流演員。但這些都不是我喜歡這部片子的原因。我只是覺得它適合這個季節的台灣。

兩個主角，初時領著村民攻城略地，時時露出貪財之心，都是一般戲裡尋常情節。但史恩康納萊被誤認為神之後，在他患難朋友的冷眼旁觀之下，「戲如人生」的教訓一點一點鋪展開來。他為村民排解糾紛，憑的是個人邏輯和西方世界的價值觀，斷起案來頭頭是道，儼然創造了法律。他為了保持威嚴，叫多年戰友在進退之際也要向他行禮如儀，「做做樣子，別人才會保持尊敬。」他簡直相信自己真正是神了，不肯見好就收，反而打算娶妻生子，使他的威儀能有後代繼承下去，但也就是這件事拆穿了他的凡人面貌。他的朋友僥倖逃了出來，帶著他的遺骸，只剩下骷髏頭了，倒是皇冠還閃閃發亮——電影在此時結束。

等著看《大戰巴墟卡》片名所暗示的戰爭場面的人，一定大失所望。篤信「惡有惡報」的道德原則的人，則一定為貪婪得了報應而大感快意。還有人可能羨慕史恩康納萊，一生中總算過了受人膜拜的癮。一定也有人替他惋惜，擦肩而過的富貴權勢！

但有沒有人同情他呢？當他雄赳赳氣昂昂君臨天下的時候，他是神、是救星、是主宰，看起來眼前無一物不在他控制之下。但有沒有人想到，從他鬼使神差被誤認為神的那一刻起，他的命運已經被安排？四周過多的奉承，使他再聽不進逆耳的話；毫無疑問的信服崇拜，使他失掉警覺而不察知危險；湧上眼前的財富權力，使他忘記自己的極限。當一個人的權威必須依賴別人的愚昧來簇擁之時，他哪裡還有自覺自主的餘地！

靠操縱臣服者的無知而建立起來的權力，是多麼地危險、多麼地搖搖欲墜，因為權威本身原來就是受人操縱的。如果臣服者保持無知，這個權力當然是空心的，因為沒有人貢獻智慧來支撐它——但如果臣服者有一天睜開了眼睛，權力失掉了信任基礎，難道還能夠不垮台？剩下來繼續閃閃發亮的，是死人頭上的皇冠而已。

在這個季節，耳裡一片上電致敬擁戴效忠之聲，眼裡上上下下川流不息的鬥爭戲碼，在十二月二日送出選票之後，手裡就不再握有籌碼的季節，如果你覺得無力可施，或者有些心情無處排遣，我建議，去看一場《大戰巴墟卡》。

一九八九・十二・二十六／聯合報／二九版／聯合副刊

憲政危機

才是新年第二天，還在假期中，這麼嚴肅又看來危言聳聽的題目真是新春不宜。不過我並無意擺出文以載道的姿態，所以下面的故事要從耶誕節說起。

耶誕節前兩天，碰見一些小朋友，我隨口問起為什麼星期一不用上學。有兩個立刻大聲回答「耶誕節」，只有一個小學一年級的口齒不大清楚地說「什麼憲什麼日」，勉強算是意思到了。

第二個故事是我自己。一位美國教授朋友來台北，發現十二月二十五日放假，我強調是「憲法日」，他問是什麼意思，是不是像美國的七月四日，我說不是，好像是我們憲法開始生效的日子。但我不大確定這個答案，向旁邊其他教授求證一下，沒想到大家都搞不清楚，七嘴八舌尷尬哄笑一陣，反倒是發問的美國教授替我們解圍：「沒關係，一定是有事值得慶祝吧！」

這兩個故事，主旨不在強調國小教育多麼失敗，或者大學教授多麼無知（也可能是事實就是了）。我的感想，用一個正經嚴肅的題目來作文章叫做「憲政危機」，如果用白話表達，就是憲法距離一般人民實在太遙遠了。

今年冬天大概可以稱為憲法季節，各式各樣莊嚴宏偉的討論憲法的言論都跑出來。有人護憲，有人談修憲，有人主張新憲法，有人要求回歸憲法，有人專以家裡藏書多少冊界定誰才是憲法專家，有人號稱有選民在大陸給自己的修憲資格撐腰，有人含糊其辭宣示憲法精神不可背離。但是，如果問一問滿街走來走去的老百姓，多少人認真知道《中華民國憲法》跟臨時條款的關係？多少人理直氣壯知道自己的憲法權利有那些？甚至再問兩個更基本的問題：有多少人知道，憲法是為了保護人民而用來限制政府權力的？又有多少人知道，只有政府可能違憲而不會有人民違憲？

如果一般人答不出這些問題，一點也不奇怪。在動員戡亂的帽子之下，憲法的面貌模糊不清，老百姓幾乎是被有意地不使知曉憲法意義。例如當初劉俠想參選而受挫於學歷限制時，只有人義正辭嚴告誡她於法不合，卻很少人想到她所不合的「法」可能根本是違憲的。比起美國人一天到晚抬頭挺胸地與政府打違憲官司，我們老百姓的「憲法意識」是太微弱了，這正是我所謂的「憲政危機」。這樣看起來，小朋友心中的十二月二十五日只不過是耶誕節，倒是很可以理解的事了。

當專家和國代為修憲護憲而角力之時，我只想到，藉教育力量普及一般人民的憲法知識和意識，也許更是當務之急。我手邊有一本小冊子，是美國加州一所小學為慶祝制憲兩百年編的憲法教材，裡面有淺白文字介紹憲法來源和條文，有憲法字彙篇，還有從幼稚園到六年級各班的憲法「作業」，充滿了「我有自由去……」這一類自信十足的姿態。我最喜歡的一篇，是三年級（「柯爾曼太太那班」）的「我們的教室盟約」，有點仿權利法案的味道。翻譯出來，讓我們看看美國小學生的「權利感」：

我有權快樂，有權在這間教室裡被仁慈相待，這表示沒有人會笑我，忽視我，或傷害我感情。

我有權在這裡做我自己，這表示沒有人會因為我是胖或瘦、動作快或慢、是男生或女生而對我不公平。

我有權在這裡保持安全，這表示沒有人會打我，踢我，推我，或者捏我。

我有權在這裡聽人家說話，人家也要聽我說話，這表示沒有人會叫喊咆哮，大家訂計畫時會考慮到我的意見和願望。

我有權在這裡學到和自己相關的事，這表示我能自由表達我的感覺和意見，而不受干擾或懲罰。

這是柯爾曼太太班上學生的盟約，是不到十歲的美國孩子自知自重的權利。相形之下，我們對自身憲法權利的了解和實現又有多少？可不是「憲政危機」嗎！

一九九〇・一・二／聯合報／二九版／聯合副刊

馬陵道

偶然又偶然之下，我看了電視上一齣平劇，《馬陵道》。

恐怕很多人和我一樣孤陋寡聞，光看「馬陵道」三個字怎麼也猜不出劇情。看下去才知道是孫臏和龐涓的故事。這二人是同門師兄弟，都是鬼谷子的學生，孫臏略勝一籌，龐涓一直忌恨，但又一直假意示好。後來二人同為魏惠王所用，龐涓設計害孫臏受刑斷腿。孫臏不察，反而寫兵書報答，直到受人點醒才恍然大悟，裝瘋脫險。最後兩人決戰馬陵道，這次是龐涓中計，萬箭穿身而死。

我奇怪自己竟然有耐心看完一整齣平劇，也許是因為勾起幼時讀「東方出版社」故事書的回憶。這整齣劇的故事其實只有「政治鬥爭，兄弟鬩牆」幾個字，令人感慨的是，老掉牙的劇情，卻是歷久彌新。

看最近的政治新聞，不知有沒有人認真作「內容分析」，但主題大體不離「較勁」、「整肅」、「派系」、「收編」、「架空」、「造勢」、「暗流洶湧」、「連根拔除」這一類字眼，與一般人民所期待的「民主」、「革新」、「廉能」、「制衡」、「民意」、「選賢與能」、「為國舉才」的政治理想大不相同。不僅如此，很多鬥爭直接搬上檯面，連虛矯裝飾的身段都不用了。有人仍在糾纏盤鬥，有人挾天命，有人造聲勢。當年有人忍不下一口氣而留下「政治實在太可怕了」的名言，今天則有人悟出「搞政治就是那麼回事」而不甘心地收手。這種局面，對照戰國時代孫臏幡然警醒而裝瘋脫身的劇情，倒可說是一脈相承了！

政治本來就是權力鬥爭，本來就是充滿油煙、噪音、弄得一手汙腥的廚房。不管你用多少「為民服務的使命感和奉獻熱忱」的美麗詞藻來裝飾，總沒有人期望也沒有人相信下海之後能夠乾淨清白地全身而退。這個道理本來世人皆知。但話說回來，就像廚房總有作為廚房的目的，忍耐油汙熱氣是為了做出好菜來，一般人也會期望政治是有一個正經目的的，不要只剩下「權力遊戲」這麼赤裸的面目。

但這似乎正是今天台灣政治的悲哀之處。除了權術，再無其他規則；除了見樹不見林的一些競爭手段，再無其他遠見；好像鬥爭本身就是政治唯一的目的。舉例來說，選擇重要的政治領袖，本來應該基於多少嚴肅的考慮，現在卻優先在一些稀奇古怪甚至枝微末節的條件上費思量；要看籍貫（「省籍平衡」原則），要看年齡（必須在「孚眾望」及「是否有繼位可能」之間恰到好處），要看企圖心（旺盛到足以造勢，又不見篡位威脅的地步），甚至要看人脈、看天命、看姓氏。詭譎之處不可言喻。

當然，具備上述條件，並不必然表示背離民意，事實上，鬥爭大勢底定之後，自然會有大量「萬眾歸心」的民意湧現，把過去流血拚鬥的痕跡抹去。這時候，成者為王固然是民意所託，敗者為寇則叫做「求仁得仁」，又回復到各得其所的局面。

孫臏和龐涓的決裂，有一轉折之處：當孫臏為謝恩而趕寫兵書的時候，送牢飯的嬤嬤點醒他：「你快快地寫，就快快地死；慢慢地寫，就慢慢地死；不寫就不死。」孫臏才了悟自己性命攸關所在。今天這個政治「廚房」裡，有人因身為戰將而得勢，又因戰將而下台；有人因籍貫而能做某個職位，又因籍貫而不能做另個職位；還有人倚「天命」而起，又因逆天命而落。大部分的人都不能知所行止，好像欠缺一個送飯的嬤嬤來提醒兩句。政治圈裡的禍福相倚和曲折恩怨，恐怕終於要像孫臏和龐涓一樣，只有馬陵道上的你死我活才能夠收場了。

一九九〇・一一・九／聯合報／二九版／聯合副刊

「倒閣」及其他

「真糟糕，不信任投票的結果，倒閣了。」

那怎麼辦？

「只好再選新內閣了。」

白頭髮的神父談起這件事的時候，微微聳了聳肩表示有點無奈，但他的神情卻並不真的擔憂，甚至有點默默認可的意味。我和台灣去的同事驚訝得說不出話來，只能從互相交換的眼神中表達我們心中的不可置信。

這不是什麼談論國事的場合，只不過是香港一所中學的校長辦公室，神父校長正說起他們的學生組織。這所位在九龍的歷史悠久的「書院」，聽說是培養出許多香港政壇人物的搖籃，香港中文大學的同事為我們安排了這次參觀訪問。我們很驚訝這間所謂的「明星學校」並沒有特別起眼的校舍設備，也很驚訝聽說學生背景大部分出於中下階層家庭。但最最令人驚訝的，還是校長介紹的校內「學生政府」，不但有內閣，有選民，有「憲法」，還有每年厚厚一大冊學生自己向校方提出的活動及財務報告。這些十一、二歲到十六、七歲的孩子，像模像樣而且中規中矩地學習「自治」，校長提起的今年的「倒閣」行動，不過是他們慣常行使的諸多權利義務中的一次自主表現而已。無怪乎校長談起這件事的時候，絲毫不見大驚小怪或責難的神情。在他眼裡，這是學生自動自發、自己負責任的一項選擇，根本不在校長的管轄範圍之內，自然也無須由他向我們這些外地訪客多作評論了。

我們參觀了正在學校大禮堂舉行的書展，陳列的書五花八門，甚至包括了流行的小說和漫畫，有些以我們的標準看來鐵定會列為閒書而非「勵志」作品。我問校長：「校方事先不對這些書檢查篩選嗎？」校長簡單回答了「不」一個字，想一想又添了一句：「這些書在外面都買得到的。」好像替自己辯護解釋都嫌多餘。

接著去看圖書館，幾個小小個子的學生自己擔任圖書館員，辦起借書還書手續煞有其事。我又根據「台灣經驗」而發問了：「這些學生，是不是功課比較好的才選來做圖書館員？」校長愣了一下才回答我的問題：「我們不根據校方訂的標準來選擇學生做什麼事情。學生參加任何課外活動都是自願的，他們是自願排班來圖書館服務的。」我很懊惱，看來台灣經驗並不是每一方面都能被借用作為「開發中國家楷模」。

但令人窘迫的還不止於此。參觀教室的時候，看見面向操場的一整面牆全是落地玻璃，採光極好，外面的風景一覽無遺。我非常喜歡這樣明亮的設計，但又忍不住有點感想：「這樣不怕學生的注意力被外面吸引，上課不專心嗎？」這次校長根本不回答我了，雖然是神父（理論上應該是很有禮貌的），竟然哈哈大笑到答不出話來的地步。我紅著臉閉上嘴，決定不再跟他交換台灣經驗。

黃昏之後，在中港碼頭眺望隔海的香港島上的萬家燈火，白天發生的事在我心頭揮之不去。早上在中文大學演講之後引起一的認真而緊追不捨的討論，下午參觀學校的所見所聞，使我領悟這個城市的活力絕不限於璀璨燈火所反映的蓬勃經濟能力。我忽然想起那位神父校長談起「倒閣」事件時臉上一絲若隱若現的讚許神情，他不會是鼓勵學生的造反行動，而是欣慰年輕孩子能依照合法程序表達自由自主的意志吧。這些香港中學生認真行使的自治權利，在台灣即使大學教授之間也只能「望之彌高」。對於「本是同根生」的香港同胞，我由衷生出幾分欽羨，幾分敬意。

一九九〇・一一・十六／聯合報／二九版／聯合副刊

「我國」是指……

有一次，在課堂裡用到「我國」兩個字，結果有學生舉手發問：「老師，你說的『我國』是不是指台灣地區？」

我幾乎不假思索地回答：「是」，因為當時的問題焦點確是台灣。但這個「是」字出口之後，心中忽然生出一點「政治警覺」，想要收回這個答案，想要修改，想要補充說明，琢磨著是否「問者有心，答者無意」（還是相反？），一時間思緒翻湧百感交集，竟然立在原地手足無措起來。

「我國」是不是指「台灣地區」，這個問題要怎麼答覆呢？

如果說兩者之間畫上等號，除了「新國家聯線」的人，多半民眾恐怕不會贊同。特別是談到「我國政府」、「我國憲法」的時候，總能名正言順稱中華民國。

但現實狀況多半不如此精確。例如談到中國，我們能不能大聲承認是「我國」？國外開會碰見大陸學者，能不能親熱叫他們「我國人民」？反過來說，如果台灣民眾被大陸人士叫做他們的「我國人民」，我們接不接受？

國際社會中的「我國」又是什麼？我們漸漸學著去習慣「中華台北」、「（抗議中的）中國台北」這些稱呼，最近則又開發出一個新名詞叫做「台澎金馬關稅領域」。這一類奇怪名稱，於「我國」而言，是代號？是同義詞？是務實還是委屈？是「不滿意但可以接受」？「我的國家」，本來是每個人覺得最最親近自然又能依賴認同的對象。但在今天的台灣，一個簡單的「我國」卻發展得如此蜿蜒曲折。就算不論政治上尖銳的統獨之爭，一般人心中也有多少複雜難解的情結。有一次參加一個座談會，聽見一位所謂「外省人第二代」的企業家，從一個無關政治也無關學術的角度談起他的心路歷程。他行走世界各地，從言必稱中華民國，漸漸轉變為竭力解釋自由中國的台灣，在台灣的中國人等等，終於能夠簡單明瞭而坦然自稱是「台灣人」。

這個發展趨勢其實十分自然，甚至可說是必然的，因為「我國人民」總要想一個出路來解除長期的認同危機。當然也有人對這種發展感到憂慮，蘇曉康的「柔弱」風波就是一個例子。蘇曉康稱台灣柔弱，引起此地人民的憤怒，這雙方的心情都是可以理解的。但蘇曉康在離台之前又表示「暗自欣賞中華民國政府的『柔弱』」。發現「台灣人對大陸的嚮往，竟是那樣強烈的一種『戀母情結』，內中有多少痴迷、敬畏乃至由此而生的自卑感」，用這麼佛洛伊德的態度看待台灣，另方面卻又加上「台灣掙扎出一個現代化不容易……後頭還有十億大陸人眼巴巴望著你們哩」的期望。恐怕這種「立足大陸，胸懷台灣」的憂慮和期望，才正是加速台灣人民尋求自我認同的動力。在我看來，台灣固然有「柔弱」之處，但真正軟弱的，其實是某些人刻意鞏固但事實上已經欲振乏力的所謂「戀母情結」。這幾天報上正推銷一些「梅蘭娃娃」，雖然見出振興傳統、抗拒西方文化侵略的苦心，但我們恐怕必須承認，大部分台灣民眾很難從這些柳眉鳳眼、鳳冠霞帔的娃娃身上找出可認同之處，更不要說由什麼鳳仙裝、貴妃裝來傳遞今日的台灣形象了。同理，在政治上，諸如資深民代這種勉強維繫著微弱「戀母情結」的體制，其存在本身不但沒有達成延續法統的莊嚴使命，反而藉著一次又一次的「舉手」（或者「舉錯手」）事件，促使此地人民要求新的認同對象。

這樣說起來，十幾歲的年輕學生問道「『我國』是指……」，不是一個不正當的問題。慚愧的是，到底什麼樣的答案才算周全呢？

一九九〇・一・二十三／聯合報／二九版／聯合副刊

勇敢還是美麗？

赫胥黎在一九三〇年代初寫《美麗新世界》的時候，想必對人世間科技發展的走向是憂慮多過樂觀，所以他預言的未來世界很難稱得上美麗，原書可譯作「勇敢新世界」。中文譯名用莎翁典譯作「美麗新世界」，也許因為我們對烏托邦總有幾分憧憬？

我這篇文章其實不是為了討論赫胥黎。只不過新春之初，對未來一年的展望在「勇敢」和「美麗」之間困惑著我。

庚午馬年，所有應景賀節之舉忽然都繞著「馬」字大作文章。最「風馬牛」的，例如把馬英九和馬玉芬放在同一個報紙版面介紹為馬年人物。比較老少咸宜、百試不厭的，則是把奔騰飛躍的龍馬精神複誦個不停。放眼望去，到處充斥著躍躍欲試、昂首馳騁一類的字眼，好像整個馬年的氣氛就是這樣地勇往直前。

事實也是如此。台灣展現「勇敢」的面貌豈止從馬年開始，近兩年以來，凡是能以數字標示的台灣現象都在飆漲之中：股市、房價、GNP、外匯存底、走私槍枝，乃至死刑人數，都在轉眼之間就山外有山地屢創高峰。無法以數字標示的急躁不安的氣氛更是凝重襲人，好像台灣早就在發揮龍馬精神，而且顯然已經脫韁。冷眼旁觀這種現象，無以名之，但我知道絕不能僅以「轉型期的陣痛」解釋。直到春節中讀香港中文大學張德勝送我他的新書《儒家倫理與秩序情結》，忽然生出一點想法。

張德勝談「失範」的社會，理論提到了涂爾幹，實例介紹的卻是春秋戰國時代的社會狀況。依照他的描述，春秋戰國的失範是這樣的：「首先是人人不安其位，各階級不肯接受既定的社會疆界」；「社會失去了規範的同時，失去了人與人之間的凝聚因素，就如身處驚遁場面的群眾一樣，每個人都回復到極端自私的狀態，只顧一己利益」；「人與人之間就只能以赤裸裸的利益交往，所謂只求目標，不擇手段，是失範社會的主要特徵」；「失去了規範，也失去了生活的成法，往往使人感到惶然無助，焦灼不安」；「自定規制，是失範社會的另一主要特徵」……看這些描述，不由不讓人驚覺與今日台灣景況的類似。有趣的是，市井之間似乎從這片混亂之中嘗到了越戰越勇的樂趣，好像賭馬的觀眾一樣，上焉者趁勢得利，下焉者從尖叫嘶喊中宣洩了情緒，並且得與其他失敗者同病相憐。

但在位者和「學者專家」卻感到焦慮，古今皆然，因為他們自命必須找出規範社會的力量。這是張德勝認為儒家思想發揚的背景。也因為儒家思想圍繞著建立社會秩序的目標，所以成為中國歷史上向來社會控制的主要力量。

我讀這本書，覺得最能引起反省的，不只是台灣現況和春秋戰國時候「失範」的類似，更在於社會控制手段的沒有改變。依舊是壓制性和意識型態機制的交替運用。例如治安惡化，就來《危害治安治罪暫行條例》；民眾不信任司法而評議，就來「藐視法庭罪」；社會風氣敗壞，就來提倡道德自律；甚至處理兩岸政治關係，也總是「三民主義統一中國」。

是民間社會的太「勇敢」，激發重整秩序，建立規範力量的決心，這種歷史背景是易於理解的。問題是，今天的台灣，難道可能像春秋戰國之後一樣，用「社會規範與醫師的處方一樣，當事人不必知之，只要照辦就行」來恢復秩序？是不是道德倫理能夠代替科學知識？是不是和諧比較美麗？

我說不討論赫胥黎，但問題由他而起，也要由他結束。在他描述的美麗（或者勇敢）的新世界裡，充滿了穩定、標準化、便於管理，幾乎是麻痺式快樂的景象。這部小說是對科技過度發展的警告寓言，但中文見出「美麗」的色彩，是對中國人秩序情結的反映，還是諷刺？

或者讓我們猜一猜，馬年，將是勇敢，還是美麗？

一九九〇・二・六／聯合報／二九版／聯合副刊

從報稅聯想女權

又到了報稅季節。信箱裡出現各式各樣扣繳憑單，提醒著很多幾乎已經不存在記憶裡的所得。也只有在這種時候，所得變成一種煩惱（最好你真的相信「施比受更有福」）。而對「成家」又「立業」的夫妻來說，這種煩惱簡直是雙倍的，所以有人想出了一個笑話：有人問一對夫妻，「稅有沒有報在一起」，聽的人誤會成「睡有沒有抱在一起」，哈哈大笑之中，「抱在一起」減輕一點「報在一起」的痛苦。

這個笑話當然是捏造的，因為到今年為止，沒有人會去問這種問題，夫妻對「稅有沒有報在一起」毫無選擇餘地。只有當明年申報今年度所得的時候，薪資部分才可以開始個別申報，這算是好不容易的一點進步了。

關於夫妻合併報稅的問題，多少年來被專家指為對婚姻的懲罰。以效果而言，合併報稅的確懲罰了婚姻，但我想原始目的未必如此，因為中國人總強調「宜室宜家」。依我看，這種政策的緣由還是十分「符合國情」的，簡單地說，就是不把女人視為獨立的個體；已婚的女人，尤其被簡化為丈夫的一部分。

很多人也許不同意這種說法，今天台灣滿目皆是的「女強人」似乎是個反證。從表面的行為來判斷，女人是比以往獨立多了：有平等的教育機會，可以選擇自己的事業，可以選擇不冠夫姓，甚至可以選擇不要婚姻。電視上的商品廣告，從零食到家電用品，最容易見到這種鼓勵特立獨行的傾向：一個單身的女性，從自己的小冰箱裡拿出一瓶纖維飲料，抹上一點使自己看來更顯自信的化妝品，這個過程便可稱為「尋求自我」。

但是，女人果真從觀念上肯定自己的獨立身分了嗎？這個社會果真從制度上保障了女人的獨立地位嗎？恐怕，要奮鬥的路還很長。我每次和先生一起出外應酬或辦事，初認識的人總是只需確定我是某某太太就夠了，沒有人在意我自己叫什麼名字，也少有人想知道我在做什麼事情。好像「太太的身分」就足以解釋一個女人的全部，從這個角度看，太太併在先生的名下報稅可說其來有自。今天這一點稅制的改進，恐怕也是出於已婚家庭節稅的考慮，而不見得有太多承認女人獨立地位的意義。

觀念上不能突破，女人的行為再怎麼「前衛」也稱不上獨立。我常常看美國雜誌上「維吉尼亞苗條」牌香菸的廣告，背景總是一小張女人受欺負的老舊黑白照片，全頁廣告則是衣著亮麗的時髦現代女性（當然是手指銜著香菸的）。這個廣告鼓勵女人「解放」的主意是不錯，不過如果只能從模仿男人抽菸著手，只怕，用一個女權主義的術語，只是叫女人做了

「次等男人」而已。

另一種困境，也用術語來說，可稱為兩性間「支配／反支配」關係的矛盾。最近一期美國流行的婦女雜誌《好家政》，介紹九十年來女性就業的演進，一九〇〇年的圖片是一個女祕書正在打字，文字是「請你打一封信，布朗小姐」；今天一九九〇年的圖片則是一個女主管，文字是「請你打一封信，布朗先生」。職業上如果繼續存在性別考慮（不管是誰支配誰），就跟政壇用人存在省籍考慮一樣，歧見不能消除、對立分化不能消除，真正的合作平等是很難做到的，只怕永遠要糾葛在歧視和反歧視的議題中了。

「睡有沒有抱在一起」不能問，「稅有沒有報在一起」倒是不錯的話題。只不過，除了節稅之外，不知能不能引起其他的反省？

一九九〇．二．十三／聯合報／二九版／聯合副刊

世說新語

今天我想講幾則故事，改編自大家都知道的童話。

（一）白雪公主的後母

白雪公主的後母是全天下最容易嫉妒的人。她長得不算美麗，但每天都要照好幾遍鏡子，聽魔鏡恭維她，並且確保她的確是全世界最有威望的人。

後來白雪公主漸漸長大了，其實還沒有到可以和後母競爭的地步，但已經令她備感威脅。於是這個後母決定殺死白雪公主。但她不要用毒蘋果那個笨方法，卻想出其他兩條計謀。第一是派白雪公主出去打仗，最難打的仗，讓她戰死沙場算了。第二是把白雪公主關在冰箱裡，讓她冷凍起來。白雪公主由於有七個小矮人保護，所以沒有死，跟她的後母繼續纏鬥下去。但童話故事至此發展成武俠小說，我就不負責結局了。

（二）兩隻老虎

這個故事改編自一首童謠：兩隻老虎，兩隻老虎，跑得快，跑得快，一隻沒有眼睛，一隻沒有耳朵，真奇怪，真奇怪。

這隻怪物沒有眼睛，因為他不喜歡看人間疾苦。人世間不外鬥爭、自私、索求無厭，令他不悅。他寧可和天上的父溝通，用半部聖經治天下，而這個工作顯然不需要一雙凝望世間的眼。

這隻怪物也沒有耳朵，因為他不喜歡聽人世雜音。對他來說，沒有聲音才是美德，有人開口不但破壞了和諧之美，更有破壞團結的罪名。由於他這種偏好，四周的人漸漸沒有了嘴巴，而他自己則沒有了耳朵。

歌謠裡說，沒有眼睛沒有耳朵真奇怪。其實請達爾文來解說一下就明白了。眼睛耳朵起初不是沒有，但一直放著不用，不發揮功能，就在演化過程裡慢慢退化淘汰了。說穿了實在沒什麼奇怪。

（三）灰姑娘的仙履奇緣

這個故事的新版的主角不是灰姑娘，而是她的王子。王子一日設計了一個夢中情人，眾侍衛遍尋不著，只好拿著玻璃鞋挨戶查訪。很多人躍躍欲試，但都穿不下鞋子，只好說些

「等鞋而不買鞋」一類莫名其妙的話來自我解嘲。

終於，在一個眾人都料想不到的茅屋裡，找到穿鞋正好合腳的灰姑娘。故事正要皆大歡喜，掃興的事卻發生了！午夜的鐘敲響了十二下，不但玻璃鞋碎了，灰姑娘也華衣褪盡而露出了襤褸面貌。王子本人倒是無怨無悔與之相扶相持，但讀者見到這個故事的本來面目皆感索然無味，於是紛紛掩書而逃。

（四）摩黛莎（Modessa）

講到「摩黛莎」這個名字，可能很多人不熟悉，但如果說起希臘神話裡那個法力無邊、滿頭蛇髮的女妖，聽過的人就多了。據說凡人被她眼光掃及，立刻變為石頭。

新版的摩黛莎是否滿頭蛇髮不得而知，但同樣以眼神具有特異法力而出名。只要她橫掃一眼，立刻會使人體會到「關懷愛護」而心有所感，省長級者自動繳械，電視公司會重複不停播出「敬祝政躬康泰」的插播卡片，至於一般小民更是立刻感染催眠效果，只能喃喃自語「恭祝教主仙福永享，壽與天齊」，跟變為石塊並無二樣。

摩黛莎因她的眼神所向披靡，既不必競選也不必候選？自然而然就不戰而勝了。

（五）「跋」

故事說完，還要加上一個「跋」，似乎多餘。但我有一個私心，想把童話說成寓言，不得不畫蛇添足。

四個變調的童話，都在說怪物的故事，但目的不在責備怪物，而是想探索一個背景問題：怪物是怎麼生成養成的？

怪物不是天生而來，是權力使人變成怪物。這話有兩種意思：一是說權力使人膨脹，終於張牙舞爪而不受駕馭，二是說權力使人迷失，終於扭曲本性而無法自拔。

遺憾的是，這兩種情況原來都是可以防範的。後者要「無欲則剛」來終身自省，前者則要制度約束不使養虎為患。

其實，故事當作故事說說也就算了，為什麼總想教訓人，教育人？是我自己，也沒有做到「難捨能捨，來得去得」吧！

一九九〇．三．六／聯合報／二九版／聯合副刊

「不要再寫文章了」

「不要再寫文章了」，這句聽起來像是「告別式」的話，我確實暗暗對自己說了好多遍。不過，當一位教授朋友也這麼當面勸告我的時候，我還是微微吃了一驚。「不要再寫文章了，」他的語氣倒很平靜，既不像生氣，也不是嘲諷，「也不必連署什麼宣言，發表什麼聲明了，」我注意看他十分認真的神情，「只剩走上街頭一條路了。」

我不知道這樣寫會不會給加上「預備叛亂」的罪名，但我實在很同意這位朋友的意見：老百姓已經被逼到沒有什麼退路的地步了。我寫評論政局的文章，一篇兩篇三篇，寫到自己都厭煩。能以言論發揮一點影響力的人，沒有一個不在藉著文字表達心中的沉痛失望。光是這一星期以來的聯副專欄，便有楊子〈感時花濺淚〉，司徒衛黯然歎朋友移民，彭犁痛罵「蹧蹋了民主」。我讚美一位政論家文字流暢有力，他苦笑回答：「我筆下哪一句話不是說過十幾二十遍以上？說得好膩，實在是不想再說了！」

文人掏盡了心肝肺腑在進言，言盡而意未止，終於使得有人建議要「投筆從戎」。一般人民同樣有萬般不吐不快的心情。最近我接到好多讀者來信，有人罵我（「台獨共產黨」是最方便給人按上的罪名），有人說一些讚美的話，我看了大致都能「置之度外」。只有一種往往叫我心情沉重低迴不已的，通常是署名「平凡的老百姓」一類的民眾最質樸誠實的心聲。一位「永遠被壓迫的老兵」說他對政府如何由完全信任到完全失望，才覺悟「這個政權的本質就是槍桿子裡出來的，受苦的是中國老百姓。」另一位「我是小百姓，將屆半百之年」，說他「沒感覺到任何個人或黨派肯為國家和社會做出犧牲，而且愚民、戲民、欺民、弄民、誤民如故，霸『道』喪『德』……」

我寫文章不喜歡露閨閣姿態，但這次不得不承認，讀這封信的當時就在辦公室裡掉了眼淚。這一個禮拜之中，已經掉過兩次眼淚。另一次在趕著上課的路上，一位同事匆忙交給我一些和森林小學有關的資料。我對這件事其實已經有若干了解，快步一面走一面讀，一面想到「私人興學」和「父母有權選擇子女所接受的教育方式」是國際間普遍承認並保護的基本教育人權，想到我們的政府壟斷教育資源之餘還能以振振有辭的態度剝削民間稀有的一點選擇。我一面告訴自己應該慶幸沒有孩子要在這種環境裡受教育，一面終於忍不住掉了眼淚。上課已經遲了，我呆立在安靜的校園，深呼吸了一分鐘之後才能平靜心情走進教室，但一面對學生，張口欲言之際又是心情翻湧。

這樣隨時隨地心情鬱悶不知如何自處的情況，只有去年六四天安門事件時候發生過。

事實上，我確實聽過另一位教授朋友厲聲責問：「這跟天安門事件有什麼不同？只是沒有坦克車開上街頭而已。還不是一群老頭子忙著內鬥，不管人民死活。」另一個朋友用了更直接赤裸的言詞：「這根本是一群人在集體雜交，自己跟自己玩。」一位女教授在電話裡談起時事，三番兩次罵出「他媽的」，我聽了也是笑，也是歎氣。我自己有一次看電視新聞的時候，對著鏡頭裡忙著舉手表決「自得其樂」的人怒罵「不要臉」，先生大吃一驚，叫我文雅一點，我大聲反問：「你能想出什麼其他字眼來形容這種人？」他也沉默答不出話來。

是的，我們都詞窮了。我想起朋友的勸告，「不要再寫文章了」，確實是至哀無言；「只剩走上街頭一條路了」，但願我們不要真的只剩下這一種選擇！

一九九〇・三・二十／聯合報／二九版／聯合副刊

廣場手記

三月十八日，星期天

上午是每週例行的洗衣工作，但今天從一早看報之後便心裡不安。下午在中正紀念堂有群眾大會，我不想湊熱鬧，但覺得該去看看學生。念頭一生，再也無心做家事，讓衣服留在洗衣機裡就出門了。

從側門進中正紀念堂，放眼望去竟是遊人如織，繞到正門看見靜坐抗議的大學生，才感覺一點肅殺氣氛。有人在演講，學生秩序很好，態度也莊重。倒是圍觀群眾浮躁多了，梁柱上的字跡也太血淋淋。廣場中央正在布置演講台，音樂震耳欲聾。

我在人群漸漸聚集之時離去，回頭一瞥，停在視線裡的是藍頂白身的巍峨紀念堂，飄著青天白日滿地紅的旗桿，和巨幅綠色台灣地圖的民進黨旗，從左到右從高而低連成一線。我不知由何處生出的聯想，腦裡浮現雲門舞集跳《白蛇傳》的一幅劇照：由高而低糾結排列的三人，一邊是昂首挺立卻不得人喜的法海，一邊趴伏在地帶點妖氣的白蛇，被拉扯其中不知如何是好的是許仙。

走在圍牆外，聽見胡琴聲。從鏤空的窗往裡看，花間廊下有人拉琴，有人捏著嗓子唱戲。隔不到一條街，竟是兩個世界。

三月十九日，星期一

下午兩點半到中正紀念堂，正門前是空的，只剩兩三個學生在打掃。我一時愣著回不過神來，好像趕去醫院看病危的人，卻只見到一張空床。

學生原來是移到音樂廳的廊下，一校一校井然有序。我繞了一圈後看見師大的牌子，雖是預料中，一時間還是說不出話來。學生顯然也不習慣「運動」，姿態簡直就是拘謹。但也因此格外教人心疼，不明白大雨滂沱中演的是什麼故事。

黃昏時再回去，學生又移到廣場上了。雨下得不可收拾，每個人裹在黃雨衣裡席地而坐，我也陪著坐下。本來應該肅穆的心情，因為想起羅維明寫「雙腳又溼又冷像冰箱裡的雞」而覺得滑稽。

台上輪流有人慷慨激昂發言的時候，訓導長來了，帶來食物，並且和學生一一握手。這個訊息很重要，學生知道大概不會受罰了。我也寬心了些。七點多，大家狼吞虎嚥吃便當。我走上台階，第一次看清楚全場，真沒想到這麼多人。

三月二十日，星期二

上午兩點，天轉好了，師大的學生反而少了很多，我想是回去上課了。太陽一下子大起來，指揮中心開始在台上示範用報紙摺紙帽子，台下同學嘻嘻哈哈學，摺好了互相往頭上戴，竟然有幾分歡樂氣氛。有些學生露出不以為然的神情，我連忙說沒關係，不是非要悲壯殉國才叫神聖。

幾個一直在場的學生幹部明顯露出疲態，有人在咳嗽。我不知如何是好，只能催他們回去。

下午一直上課到晚上八點夜間部的課上完，再趕回中正紀念堂，發現全場學生人數暴漲，氣氛也很高昂。絕食的方孝鼎要送醫院了，上救護車以前要大家答應對李煥、李登輝有禮貌，學生齊聲應「好」。對面民進黨聚會用擴音器喊黃昭輝來了，能不能講幾句話，這邊學生擴音器回話過去「不大方便吧」，對方也只好笑瞇瞇禮讓：「好，我們尊重學生。」全場鼓掌附和，一片笑聲。

離開的時候，一個高中女學生正在演講，把交通癱瘓和十信案件（？）都歸因於「民意結構不健全」。我走遠了，她激昂的聲音還在身後迴盪。

經過賣香腸的小販，竟然想買一根來吃。又餓又累。

三月二十一日，星期三

下午才到廣場，一腳踏進去就嗅到渙散的氣息，垃圾暴增，學生坐得也不成隊形了。走到師大學生身邊，大家都是洩氣的表情，原來正在討論要不要進總統府。學生自己也沒有主張，七嘴八舌重新回頭問起「總統到底有沒有權解散國民大會」一類問題。我心裡浮現社會運動週期理論中一個事件經過高峰而分化消散的圖形。

三月二十二日，星期四

黃昏時候到廣場，一幅人去樓空的景象，倒是野百合還在。夕陽掛在中央圖書館的方向。

明天會是好天氣嗎？

一九九〇・三・二十七／聯合報／二九版／聯合副刊

3M黃色貼紙

前不久，在很特殊的機會下對一個團體演講，又很不巧在「社會運動」的題目談到中正紀念堂的學生抗議活動。聽眾有人情緒激動，非常不諒解學生，屢次以「共產黨」、「職業學生」這類名詞責備他們，甚至連廣場學生禦寒用的紅色圍巾都作為指控他們是「共匪」的證據。我看見有人這樣理直氣壯地痛恨自己的子弟，驚詫之餘無以名之，想想也許可以稱為我們社會的「3M黃色貼紙現象」。

我最初用到3M黃色貼紙，是在國外念書時候，這幾年台灣也漸漸普及起來。這種貼紙是美國3M公司出的，黏性不強，很方便貼在文件書本上當作標籤，還可以揭下反覆再用，已經成了一種不可缺少的辦公文具。用到順手之時，滿桌文件都貼著留言、附注、作標記的黃色貼紙。

我說台灣有3M黃色貼紙現象，是有感於給人亂扣帽子的習氣如此普遍，輕易對不順己意的人事就加上「共產黨」一類的標籤，好像3M黃色貼紙隨撕隨貼那樣便利。這類標籤當然不限一種名目，其他用得熟練的還包括例如「陰謀野心分子」、「別有用心分子」，都可適用於和自己意見不同的人。但仍以「共產黨」最無往不利，男盜女娼一網打盡。

3M黃色貼紙現象普遍，原因之一也許是懶，腦筋習慣既定的安排和固定一致的知識。去探究真相，去辯論真理，都是費神費力的事，更別提可能需要檢查自己有沒有錯處。房龍在《人類的故事》裡描寫中世紀黑暗時期的人們，完全藉聖經來解釋天地間事物，「他們不曾離開他們的圖書館」到後院去觀察毛毛蟲。直到今天，很多人碰到意見不同之處，還是懶得去理解到底有什麼不同，為什麼不同，不同是不是就一定不好。還是黃色貼紙用起來方便，隨手貼上就立場鮮明，涇渭分道。光歸咎於「懶」是不對的，愛用黃色貼紙的一個更根本的原因，在於信心堅定。一個人對自己的信仰如此堅定不移，以至於不喜歡不同的說法來擾亂秩序。當培根開始用放大鏡和望遠鏡做實驗時，房龍描述很多人大吃一驚控訴他：「這個人危害國家安全。我們的拉丁文譯本多少年來都使我們的忠實的人民感覺滿意，為什麼他竟不能滿意呢？為什麼他那麼熱心研究魚和昆蟲的內臟呢？他大概是一個邪惡的魔術師，想用他的黑魔術來推翻事物的固定秩序。」這段話，我們聽起來多麼熟悉，所有的異教徒都接受過類似的指控。而黃色貼紙的作用，不正在於把「異教徒」的身分標示凸顯出來？

信心堅定，難道也有錯嗎？當然不能這樣說。我們被教導只准有一種思想，往往是因為有人像母親想保護孩子一般地確信，「過多的知識會使人覺得不舒服，使他們頭腦裡充滿了危險的意見，因而引起懷疑，終致使他沉淪……。但是她（母親）實在是很愛那個小孩的，只要他聽從她，她一定會盡可能地好好對待他」。

這樣看起來，3M黃色貼紙的普及，一方面出於慣性，一方面證明信心堅定，一方面表徵「作之親，作之師」的心意，實在不足為怪。只不過，也有使用黃色貼紙習慣的十三世紀的歐洲，在那段神權籠罩的黑暗時日之後，漸次發生了文藝復興、宗教改革、啟蒙運動、法國大革命和工業革命，為近代的民主法治奠下基礎。我們也走過好長一段艱辛歲月，同樣喊過自由平等救國的口號，但直到今天仍在把大量黃色貼紙「你撕我貼」樂此不疲，也是一種奇觀吧！

一九九〇・四・三／聯合報／二九版／聯合副刊

「在文句的順暢性上做了相當大的努力」

最近在報上看見一篇書評，作者很認真地推薦一本刊物，盛讚其中種種優點，並且稱許這本書「在文句的順暢性上做了相當大的努力」。

我讀別人的文章，還有自己寫文章，向來認為內容重於形式；也就是說，文章的觀念和論點比較重要，文字倒是其次。但話說回來，好的文字能使文章的論點讓人比較容易「嚥」下去，所以也不能說文字不重要。好文字的第一原則就是流暢，我儘量小心用詞用字，希望自己的文章讀起來像說話一樣自然，但通常也只是「用心使文句順暢」而已，還不至於「在文句的順暢性上做了很大的努力」那麼痛苦。

我是專業教書的人，寫文章多半只是「隨筆」，不大喜歡（也不敢當）別人把我看作是作家。所以實在沒有資格來討論文字。但現在資訊每天排山倒海而來，數量大增，品質卻很差，我常常「做了相當大的努力」，仍然搞不懂別人想傳達的意思是什麼。有時看學生報告，光是標點符號和錯別字就讓人忍無可忍。也許確實到了我們該檢討語文教育的時候了。

我基本上相信文章是用來「載道」的。我只有在「為賦新詞強說愁」的少年時候，喜歡過一些文字華麗奇巧的散文，但很快就對這類東西感到索然無味，自己寫文章也就捨棄了過度在文字上下功夫。一直到今天，我仍然覺得，好文章第一要有明確的論點，其次要能把話說清楚。

這兩個條件看起來不難，要做到卻也不簡單。現代人說起話來多的是滔滔不絕的本事，言之有物的卻不多見，甚至常常用一些奇形怪狀的形式包裝了貧乏的內容。我有一次和一些教授朋友討論一個計畫，在座有一位公關公司的顧問，衣裝舉止都滿體面，但他花了十幾分鐘反覆建議我們「把所定位的訴求做正式的表達」。我聽他說了大約二十遍之後，才弄明白是要我們把具體的目標寫下來。這麼簡單的事說成這麼複雜，是怕別人誤會這個意見不值錢嗎？這使我想起大學時候一位以講課難懂著名的老師，有一次一個用功的同學發憤看書，之後回來向大家宣布：「這個老師真有本事，把這麼簡單的東西講成大家都聽不懂。」

把簡單的事說成難懂，不知是不是因為太有學問；但另一種情況是完全不用腦筋，人云亦云說一些浮濫的話。例如時局紛亂之中，一個頂莊嚴的使命是要大家時時注意「值得省思的課題」。我有一次在中午的電視節目中，聽見嬌滴滴的主持人提醒婦女同胞一個「值得省思的課題」，我凝神側耳而聽，原來是談睡前皮膚保養。但你以為只有沒水準的婦女節目才會發生這種現象嗎？現在很多電視新聞節目，一碰到記者沒時間或沒有能力深入分析的題目，就用「值得我們深思及反省」結尾。幸好說得多了，聽的人也就不認真，否則一節電視新聞下來，大家都該去面壁思過。

我手邊有一本《聯合報編採手冊》，民國六十三年出的，裡面一些簡單的用字用句原則，例如「作為期五天的訪問」不如「訪問五天」，「決定予以收回並予拆除」不如「決定收回拆除」，「恭讀」、「恭祝」不如「宣讀」、「祝賀」等等，簡單明瞭的原則，到現在不但沒能掌握，還有積非成是的趨向。一定令十五年前編這本手冊的人感慨萬分吧！

我有時想想，現在一般人語言文字上常見的毛病，好比說誇大虛飾，含混模糊，強詞狡辯，空洞無物，乃至亂用自己也不懂不相信的說詞，與其說是語文上的缺陷，難道不是個人病態心理和社會病態文化的反映？我們每天耳濡目染的流行政治語彙，例如通信不通郵，通船不通航，候選不競選，叛亂犯不是政治犯，亞銀理事去大陸不算公務員一類，顯示整個社會爭相玩文字遊戲而樂此不疲。這種動作示範多了，語文老師又能奈何？也許只好期待大家一起來，「在國事的順暢性上做使人驚喜感動的更大努力」吧！

一九九〇・四・十／聯合報／二九版／聯合副刊

昆德拉的鴕鳥

一般人想到鴕鳥，多半只記得牠們在寓言中的地位。據說鴕鳥遇敵只會把頭埋在沙裡，所以總是被用來比喻不敢面對現實的人。一直到最近讀了昆德拉，我才發現鴕鳥另有一比。昆德拉在「笑忘書」裡有一篇提到鴕鳥：

有六隻。當牠們看見塔美娜和雨果，便跑到他們跟前，在鐵絲網籬笆前面擠成一堆，牠們伸出了長脖子，瞪著，張閉著牠們既寬且扁的嘴。牠們很起勁地、快速地張閉著，好像是在開一個辯論會一樣，想說服彼此。可是牠們的嘴只是啞然無聲地動著，一點聲音都發不出來。

鴕鳥們就像一些使者一樣，牠們已默記下那些重要的信息，但是牠們的聲帶已被敵人割斷，於是當牠們最後到達了牠們的目的地時，牠們只能一張一閉地動著牠們的嘴。」

昆德拉寫得有意思。我一面讀一面笑，一面努力回想我所看過的鴕鳥是不是確實這個樣子，一時想不起來，只覺得這種畫面非常熟悉。我究竟在哪裡看過這種鴕鳥？

最近看電視新聞，有些人整天被大批記者、攝影機、麥克風包圍著，神色或是倉皇，或是凝重，或是尷尬，皺著眉擺著手扭過臉去說，「不是我不是我」，「不大可能吧」，「這我不敢講」，「我不知道，沒聽說」，「不大方便有意見」。有些人大概真的不想談，又（不知為什麼）不敢大大方方拒絕訪問，只好對著麥克風咕嚕咕嚕含糊幾句，喉嚨裡發出一串聽不出來是什麼的聲音。

如果碰到鍥而不捨的記者，或者比記者更鍥而不捨又態度更惡劣的民意代表，這些人眼見躲不掉了，態度由倉皇不耐轉為遲疑，又變得極度謙沖誠懇，「如果是為了國家，我只好勉為其難」，「我一生站在公務崗位，有什麼任務都要接受」，「只好繼續犧牲奉獻」，「當然只好為國家犧牲」。如果經國先生在世，一定很高興見到「享受犧牲」已經蔚為流行的官場哲學。

過了幾天，情勢丕變，當「他對我忠心耿耿……」的宣示自天而降的時候，原先被記者簇擁的熱門人物忽然清閒下來，神清氣定之餘，又出現眾口一聲的反應。「他是最理想的人選」，「我認為他最適任了」，「從此政壇晴天了」，「是國家人民之福」。一時間豔陽高照，人人乘風順勢待發。我看這種電視新聞，目瞪口呆，以為看的是《二十年目睹之怪現狀》的小說改編連續劇。每個官場中人都有百般動作，千般心情，急切地要向民眾表達，但他們指天劃地情意懇切，我卻看不懂他們到底想說些什麼——語言的功能多麼有限啊，有聲有形，卻是如此虛幻。

現實人生如此難懂，我不如潛身埋首昆德拉，讀他的笑和忘的小說，讀他寫歷史的一段一段旅程，「而這個旅程的意識逐漸地消失於遠方」。他寫到共產捷克誕生的時候，「同志」克萊門第斯站在領袖戈特瓦身邊，大雪紛飛，克萊門第斯把自己的皮帽脫下來戴在戈特瓦的頭上，這幅景象成了課本和海報上的宣傳照片。幾年後克萊門第斯以叛國罪被絞死，他立刻從歷史和所有照片中被洗刷掉。「此後，戈特瓦獨自站在陽台上，克萊門第斯以前站的地方，只看見一道白牆，克萊門第斯所留下的只有戈特瓦頭上的那頂帽子」。

是啊，政治鬥爭裡，多少人從照片上被洗刷掉，從職位上洗刷掉，從上位者口袋裡的名單中洗刷掉，從「大風吹」的遊戲裡洗刷掉，終於要從歷史裡被整個洗刷掉。而那些想逃出這種洗刷命運的人，拚命想在照片裡留下一點痕跡的人，他們要付出什麼代價呢？是不是只好「聲帶已被敵人割斷，只能一張一閉地動著他們的嘴」？是不是只好說一些沒有聲音的話？

我終於想起來是在哪裡看見過昆德拉的鴕鳥。

一九九〇・五・八／聯合報／二九版／聯合副刊

消費者保護法・政治篇

從買一本書到館子裡吃一頓飯，我們每個人每天都是消費者。台灣的《消費者保護法》草案還在立法院，不知哪一年才能審得出來，但消費者多多少少開始對自己的權益有點概念。廠商聯合哄抬價格該怎麼辦，買了成分與標示不合的商品又該怎麼辦，消費者面對這些問題，漸漸不再處於完全受人宰割的地位。

購買民生日用品，尚且斤斤計較；我們身為國民，盡了納稅、服兵役、受國民教育的義務，難道不是理直氣壯的政治消費者？作為政治消費者，我們的「廠商」每天擺出什麼姿態？我們的消費權益又受到什麼保障？打開「政治消費篇」，不公平交易的例子俯拾皆是：

——報上每天是增高減肥隆乳強腎的廣告，衛生署檢驗藥效發現是「誇大不實的廣告」，不但公布結果提醒消費者，還對廠商取締罰鍰。政府官員也常常向民眾保證施政效果，例如色情趕出住宅區，鐵窗業生意蕭條，十五年內完成徵收公共設施保留地，六年內回大陸。這其中有些已經明顯跳票。有些過了保證期仍未兌現，有些效果堪虞，不都是「誇大不實的廣告」？

——消費者抱怨政府廣告不實，卻被譏諷回敬一句，誰叫你把政府首長的話當聖旨？這是個人民主素養不足！藥品廣告商如果學會這招，以後大可振振有辭駁斥消費者，誰叫你相信擦了我的藥馬上禿頭生黑髮？這是你個人醫藥常識不足！也可算是「言論自由」外一章。

——沒有標示成分的商品，消費者可以拒買；製造過程有瑕疵的商品，消費者可以退貨。但是，黑箱作業出來的政策，我們要怎麼對付？立法程序有瑕疵的法律例如退職條例，我們能不能換貨退錢？執法程序有瑕疵的違警罰法，我們能不能要求賠償？

——沒有經過安全檢驗合格的商品，如果號稱是特效藥，你敢不敢吃？如果是瓦斯熱水器，放在屋裡怕不怕爆炸？如果有人嚇唬你，「頭痛快死了，能不吃止痛藥嗎？」還捏著鼻子強迫灌藥，你心裡氣不氣？「試試看再說」發生了後遺症，又是找誰負責？

——廠商只有一家獨占，叫做壟斷；一齊漲價，叫做聯合哄抬。這不但要靠消費者團結抵制，還得搬出《公平交易法》才能反托拉斯。但是，很多國營事業只此一家，你買不買帳？很多傳播媒體只有一面倒的聲音，算不算聯合哄抬？民意代表在「黨鞭」指揮下齊聲護航，又有什麼法條名目可以對付這種托拉斯？

——號稱九九九純金，就不能成色不足，號稱大盒新包裝，就不能灌水稀釋。但是，政府編列預算，有黨政不分項目，有被專家指為「化明為暗，化整為零」項目。年年提高的社會福利支出，有百分之七十用於軍人退撫和榮民福利，只有百分之零點五用於低收入戶的社會救濟，老人、兒童、婦女、青少年、殘障者加起來不到百分之一。這種品質的商品推銷上市，賣的人違法牟利，檢驗放行的人何嘗不是失職？

翻開報紙，打開電視，每天看光怪陸離的政治新聞，充滿自吹自擂的宣傳伎倆，熱鬧之處，比起食品藥品廣告毫不多讓。只不過，消費者看廣告，總有權利不買；有的買了吃虧上當，還有一個消基會可以申訴和代表打官司。但是，身為政治消費者，我們的警覺性在哪裡？權利意識在哪裡？「政治消費保護法」又是什麼時候才能出籠呢？

一九九〇・五・十五／聯合報／二九版／聯合副刊

知其不可而為

陰暗的天，泥濘的地，一些知識界人士在新公園靜坐抗議，背景卻是各國使團陸續來華，各種表演活動陸續展開的總統就職慶賀氣氛。這些知識分子針對軍人組閣的抗議主題，在這個「居危思安」的時代似乎引不起太大回響。參加的人說，明知軍人組閣「已無轉圜餘地」，還是要表達沉痛抗議，為的是向歷史交代。這樣嚴肅悲憤的心情，只能以「知其不可而為」來形容吧！

差不多同樣時候，靠泊在基隆港的「民主女神號」廣播船，也因為遭受各種阻撓而陷入兩難。其實從啟程開始，這就是一趟注定坎坷的行程，也許船上的人從來沒有把握能把事情完成到什麼地步，也許他們隨時有心理準備遭受各種挫折。一個在驚濤駭浪中逆風而駛的航行，也是知其不可而為。稍早，中正紀念堂前的學生靜坐，以抗爭的籌碼來說，年輕孩子簡直一無所有，只能用絕食到被抬上擔架送進醫院急救的方式表達不滿。意志雖然不屈撓，血肉身軀的力量卻還是有限，以個人肉身來對抗這個銅牆鐵壁的龐大制度，是不是也是知其不可而為？

再早一些，天安門事件中阻擋坦克車的孤伶伶一個人，革命失敗到第十次還要再試下去的「亂黨」，審判中被迫認罪卻仍喃喃自語「我還是相信太陽才是宇宙中心」的伽利略，乃至中國寓言故事中那個痴心妄想移山的愚公，這些痴人行徑，統統叫做知其不可而為。

明明知其不可，偏偏還要做下去。這種行為的邏輯，根據人類好逸惡勞的本性，避凶趨吉的本性，是怎樣也解釋不通的。那麼，這些知其不可而為，到底是怎麼回事？

我們先不要用一些用得濫熟的陳義崇高的字眼來解釋，試試從另一個角度看待這些知其不可而為。依照中國人慣用的口氣，「知其不可而為」是指明知行不通仍勉力而為；但單從字面來看，明知不該做仍要做的蠻幹作風，未嘗不可叫做知其不可而為。檢視前例事件的背景，我們可以看出來，都是有一個顢頇自大的強橫勢力「知其不可而為」在先，弱勢者無以對抗，但不放棄尋求最後一絲社會公義的可能，只好勉力「知其不可而為」下去。同樣地知其不可而為，前者蠻橫，後者卻是淒涼了。

局勢混亂，很多人惶惶不知如何自處。有一天我看一個科學影片，卻得到一點啟示。這部片子裡說，地球上各種力量的互動，都有一定秩序存在，近看雜亂無章，「站的角度越高，才能看得越客觀」。氣溫一天內忽高忽低，卻不脫四季更替的軌跡；牛群雁隊腳步雜沓，遠觀才能辨出隊形。

大自然如此，人事何嘗不然。在權力爭奪的漩渦中，當事者常常稍有沉浮就惶惑不安，為保近利而無所不用其極，鬥爭之下一片血腥。其實把鏡頭拉遠一些來看，當初蠻橫硬幹的知其不可而為，終於要落入「不可」的結局；而淒涼勉力以對的另一方，也只有從歷史中才能還其良苦用心。

越是如此，越教人對現勢無奈。永遠有人以一種知其不可而為，對抗另一種知其不可而為，好像循環永無止日。有人戲言，人類最大的歷史教訓，就是永遠不知記取歷史教訓，政治現實果真如此？

一九九〇・五・二十二／聯合報／二九版／聯合副刊

在敏感和麻木之間

我有一篇英文論文，美國編輯改了之後拿回來，其中寫了「一個人他自己（himself）……」，被紅筆打了大叉，旁邊還注明這是「有性別意味的字眼」」（sexist language）。我以為自己已經很「女權主義」了，沒想到在真正嚴守男女平等規則的人眼中，不小心還是犯了規。有人這麼認真（幾乎是敏感地）堅持原則，我嚇了一跳，但心中感激又很尊敬。

最近讀呂秀蓮一本書，其中談起十多年前一樁公案。一九七六年美國獨立兩百周年紀念時，我們送了一座大理石孔子雕像給台北的姊妹市休士頓，雕像底座刻了禮運大同篇的英文譯文，結果其中「男有分，女有歸」的字眼引起美國女權運動者抗議，孔子像一度被廢置於休士頓市府倉庫。這件事在國內被引為恥辱，評論者都指責這些女權運動者「好事」，只有呂秀蓮從女性主義角度來解釋。現在看起來，這件事和前述「他自己」例子一樣，不知是彼邦人士太敏感，還是國內習氣太遲鈍？

老實說，對於兩性平等的話題，我有點「愛到最高點，心中有女權」而已，不大積極投入活動，甚至有意避談。這種心情出於一個複雜的原因。我一直很在意自己的專業角色，不喜歡多談不在自己專業範圍和興趣之內的題目。但台灣社會的確有一個畸形現象，女教授常常被指定討論什麼婚姻與家庭、子女教養、兩性相處之道一類的題目，好像女教授的重點只在「女」而不在「教授」。我有一次參加一個以「女性知識分子」為主題的研討會，談到最後，全場焦點話題又跑回「職業場所應該附設托兒所」上面，與會者爭相討論這件事的嚴肅意義，好像「先齊家後治國」對女性（還是「知識分子」呢！）是格外不同凡響的真諦。最近又有一次，我被邀請從「婦女角度」對國是會議建言。我心裡納悶，不明白為什麼國是會議也像公用廁所一樣要分「男用」、「女用」。諸如此類，使我有意避開跟性別角色有關的題目，免得別人看待我只知其「女」不知其「教授」。

但話說回來，也就是這一類例子，證據確鑿說明台灣社會裡女人仍是次等性別。現代女性不乏動作上張牙舞爪的，但整個社會距離觀念上的兩性平等還差得遠。我有意避談這個題目，其實心裡很痛苦，因為性別歧視的例子到處都是，好像台北滿街垃圾一樣，就算硬起心腸假裝視而不見，但臭味撲鼻，豈能無動於衷？好比說，要做行政院長的人了，公開場合說出男人身體健康「太太也沾光」這種話，不論用心還是用字，比起報上強精補腎的廣告都高明不了多少。但這件事在我們社會裡引起的效果，不過是當場舉座哄笑，女立委笑瞇瞇附和「我們婦女也很同意」，以及輿論讚美閣揆候選人風趣又有幽默感而已。這種例子加上這種反應，也許證明我們社會是「入鮑魚之肆，久而不聞其臭」？和那個把「他自己」刪掉的美國編輯比起來，在兩性平等意識方面，是一方敏感得讓人嚇一跳，還是另一方麻木得才真正讓人嚇一跳？

有一次，一位我向來尊敬的從事婦女研究的教授朋友勸我，就算不從女性本位角度出發，光是站在維護社會公平正義的立場，想一想有人數這麼多的一個「弱勢團體」，在觀念和實質上都沒有得到平等待遇，為了伸張正義，也該勇於向社會教育平權觀念。這段話我一直記在心裡，沒有積極去做，慚愧中卻也不敢忘記。今天寫出來，對所有號稱關心社會正義的人，不知有沒有一點提醒作用？

一九九〇・五・二十九／聯合報／二九版／聯合副刊

一斤棉花、一斤鐵，誰重？

有一個常常用來逗小朋友的題目：一斤棉花、一斤鐵，哪個比較重？直覺之下，很多人（也許不止小朋友）會回答一斤鐵比較重。正確的答案呢？當然騙不過會讀報紙的聰明讀者啦！

為什麼無緣無故會想起這個無聊的問題？

中小學教師應不應該課所得稅的問題，最近引起熱烈討論。實在不該說是「最近」的，這個題目多少年來不知討論過多少遍，辯論一路從報紙上到電視。每次反方以中小學教師勞苦功高、教育是百年樹人等等作為結辯的時候，這場爭議的勝負就決定了。王建煊部長也許真的不是有意把賦稅改革的第一刀開到老師頭上來，但他顯然對這段「辯論史」的警覺不夠，所以一出師就被立委頒了個「澄清獎」回來。

我倒不是想陪王建煊部長一起踢鐵板，只不過聯想起一段故事可以談一談。有一次和一位藝術家教授談起台灣的文化工作，他認為文化發展太不受到重視——這點我同意。他認為文化工作者太不受到尊重——這點我也同意。他認為例如作家的稿費應該全部免稅——這點我也應該同意的，因為我的稿費已經超過了十八萬免稅額。我還記得他十分認真（有點憤慨地）說：「文字工作者得到的一百元酬勞，和好比說做一雙鞋得到的一百元酬勞，總該有點不同的價值吧！」

我聽到這段話的時候，第一個感想卻是十分「馬克思」的，認為他未免輕賤了勞動者的工作價值。但仔細再想下去，如果我和這位教授繼續在工作「價值」上爭辯，其實是用錯了著力點。這個問題的關鍵應該是「價格」而非「價值」。

談起不管是文字工作、藝術工作、教育工作的「價值」，每個人都可能滔滔不絕各有主觀評價。但放在賦稅制度下，真不幸，這些「價值」只好不去考慮，而以客觀、能夠明顯量化的「收入」作標準，並且以累進稅制保護較低收入的人。如果我們一定要把「價值」的觀點扯進來影響課稅標準，問題會變得複雜一千倍都不止。我當然贊成教育和文字工作的價值不凡，但勞動階級會怎麼說？專業人士會怎麼說？人道主義者和民族主義者各自會怎麼說？金權勾結下的特殊利益階級又會怎麼說？

問題變得如此複雜！也許我們應該回頭看看起初那個「似難而易」的問題：

一斤棉花和一斤鐵，誰比較重？似難，是因為棉花和鐵給人的印象迥然不同，以至於很容易誤導答案；而易，卻是因為問題關鍵在「重」，既然決定用「斤」作度量單位，一斤比一斤有什麼困難選擇的呢？

我不知道我的論點，會被如何評判，但我要以另一個故事作為我的「結辯」，糟糕的是，這個故事是另一個未解答的問題。前兩天一位匹茲堡大學教授來演講，談到「教師專業主義」，認為教育的職業應該走向專業化，讓教師有精確的專業訓練，優厚的待遇，嚴格的責任，足夠的專業自主權。我反問他，到目前為止，台灣社會對教師的要求，仍是人師重於經師，老師要作道德的典範，任勞任怨，吃苦耐勞，以贏得社會特別的尊敬（免徵所得稅是這種「特別的尊敬」之一），這種現象和專業化的趨勢比起來如何？

美國教授當然回答不了這個問題。但我們自己的社會作何想法？

一九九〇．六．十二／聯合報／二九版／聯合副刊

新依賴理論

我在電腦上趕一篇英文論文，洋洋灑灑寫了好幾十頁，對「苟日新，日日新」的文書處理程式讚歎不已，對於自己的工作越來越符合「新速實簡」原則更是得意有加。但天有不測風雲，電腦的硬碟說壞就壞，一眨眼之間吃掉了我好幾個禮拜的工作成績。我連捶胸頓足的力氣都沒有，只好皺著眉全部從頭來過。

我的父親也從事文字工作，但他從來不信任時髦的科技。我向他痛陳災情，他聽得似懂非懂，不大能理解怎麼可能工作了幾個禮拜竟然沒有留下片紙隻字。我誇張地描述自己的痛苦，爸爸只問了一個很「初級班」的問題：「如果你當初就是用紙和筆寫，是不是就不至於這麼悲慘了？」

我在學校裡工作了這麼多年，越來越感覺再也不可能回到過去只用紙筆的日子。習慣了在電腦上做功課，不但覺得過去「手工」的年代落伍了，連偶爾用用打字機都嫌不夠便捷。但這次爸爸的話引起我的反省：一個人越是藉由外物提供便利，對其依賴越深，反而自主的能力減低；一旦這種便利撤除，頓失依賴——當初便利的來源也就成了依賴的來源。

社會科學家喜歡談「依賴理論」，動輒用上支配、剝削、宰制等等字眼。這次教訓使我想到，依賴和受惠實在是一體兩面。人類文明演進建立在越來越精細的分工上面，但分工也使得人和人、人和物、人和組織之間的依存關係加深。說起來科技文明一日一日在進步，人類在不斷受惠之中，但距離無所求而隨心所欲的日子卻是一日一日遠了。

有了這個心得，觀察四周事物，無一不在這個「新依賴理論」解釋之下。小自夫妻關係，丈夫要求太太侍候越多，看起來享盡威風，實則對太太依賴越深。大自國際關係，受惠國也就是依賴國，一天到晚在優惠待遇之下受盡威脅，台灣的例子再明顯不過。

在我自己最常接觸的領域內，知識分子是另一個大可用新依賴理論觀察的對象，卻也是談起來令人感觸良深的一個題目。在歷史使命的要求下，知識分子原本應該是自主性高、對外力依附程度低、批判性強而絕不妥協的一群人。但今天台灣的知識分子，好像很難單從這種歷史使命中求得安身立命之所，不依附某些外力似乎就無以立德立功立言，這種外力的來源，最明顯的一是大眾傳播媒體，二是政治權力；自外於此二者的簡直就稱不上是「學者專家」。

從表面上看，多少知識分子受惠於這兩種外力，得以向社會大眾傳播自己的影響力。但另一方面，這種建立聲名的管道難道不是依賴的來源？一位記者朋友一次向我取笑道，報社需要任何立場的言論，大概都可找到學者專家藉為代言，我聽了羞赧無法答話。至於政治權力的影響更不在話下，自有科舉以來，仕途就是中國知識分子理直氣壯的出路，受惠之深能不依賴之切？難怪胡秋原說，中國知識分子的出路通常只有進仕與退隱兩種；進入仕途多半只好犧牲主張以求一時苟仕，而脫離政治卻營生困難，「或變為感傷，或憤為狂狷」，好像沒有緩衝地帶可尋。

從對知識分子困境的自哀自憐中醒過來，回頭想一想，連對一部沒有生命的電腦的依賴都割捨不了，哪有隨心所欲可言？現代人的無欲則剛只怕是一個「迷思」罷了！

一九九〇・六・十九／聯合報／二九版／聯合副刊

家常

黃昏時候，照例去國父紀念館走走。紛雜吵嚷的世局中，這是難得一塊安靜的地方。

台北的建築，我最喜歡國父紀念館，如果有一天離開這個城市，最多的回憶大概會留給這裡。我常常覺得該謝謝它的建築師王大閎先生，想到用這麼簡單樸素的造型來反映一個人們口中時常稱頌的偉人。國父紀念館一點也不飛揚浮躁，甚至連造作的肅穆都沒有。我有時看觀光客在此照相留念，心中會稍稍猜測到他們的失望。以觀光客的預期來說，國父紀念館真是不夠壯觀，或者簡直就很家常。

對，「家常」，就是我對國父紀念館的感想。在這裡四周進行的，都是些尋常百姓的家庭故事。聽說晨間最熱鬧，可惜我從來不是早起的鳥；黃昏常常是剛放學的學生，和穿著家居服的父母孩子；晚上是各自盤踞的土風舞班；週末是溜滑板和放風箏。總之沒有太驚天動地的故事發生。本來偶爾還有些政治性聚會活動在這裡舉行，但過去兩年的修建期間，各種「運動」的焦點移到中正紀念堂。國父紀念館的「神聖」性質越來越微弱了。

但喪失神聖性並沒什麼不好。看國父紀念館的造型，本來就不是為了要神聖的。「神聖」存在的意義，常常是等著被人打破而已。就像台北市其他紀念建築，有的已被人直接稱為「廟」。廟是供人崇敬膜拜的地方，但廟也是木雕泥塑被人摧毀以破除迷信的地方。國父好像不是那種幼時看魚兒戲水就能悟出人生應逆流奮鬥的「天縱英明」，他一生的努力不過是從醫生的救人心腸出發，要把箝制於人民身上的巨大封建制度推翻。從這點來看，大概國父自己也不大崇拜什麼神聖，更不想把自己營造成什麼神聖吧！

我在國父紀念館走走，生出這樣的感想，未嘗沒有一點「感時花濺淚」的心情。四周的人事，每天不知有多少其實不大高明的勾當在藉莊嚴華麗的名目進行。把個人欲望說成是使命感，把少數人協商說成是「國是」，把表決說成是舉手統計，把政治神話說成是歷史任務，把人民的福祉在少數人的利益角力中決定。

在國父紀念館前的台階上坐坐看看，會發現人生其實很家常。國父像那麼「仰之彌高」地豎在那裡，但他俯視的都是些尋常百姓的尋常故事而已，是孩子穿著輪鞋追逐，是媽媽牽著娃娃學步，是情侶相依偎，是親子天倫樂。高明的政治，不過是把精深宏大的理想落實在人民最起碼的自由平等快樂公正的追求上面。看起來保衛了美國民主制度兩百多年的憲法，反映在美國人民的日常生活裡，是當人民自覺言論自由受限制時能理直氣壯告政府違憲，是小學生在教室裡練習大聲說：「我有權快樂；我有權獲得安全；沒有人會因為我是男生還是女生而對我不公平；我有權在這裡聽人家說話，人家也要聽我說話；我有權自由表達意見而不受干擾懲罰」。這些要求，難道不是很家常？

我坐在噴水池前，和國父像對看，心想不知他喜不喜歡坐在這裡。莊嚴神聖華麗喧鬧的大戲外間演了又演，演了又演，也許國父早已看得習慣？也許他寧可待在這裡看大人孩子丟飛盤？哲人的精神歷久彌新嗎？還是漸去漸遠？天漸漸暗下來，燈一盞一盞亮了。

一九九〇．七．三／聯合報／二九版／聯合副刊

交流

飛了將近整整一天才到馬德里，其中還包括在巨大迷宮似的阿姆斯特丹機場沒命地狂奔了至少五百公尺，改搭上早一班飛機，不然還得多加上三小時機場枯等的時間。十來天之後，又花了將近二十小時從歐洲飛到美國西岸。古時候行路千里翻山越水叫做「跋涉」，現代旅行的跋涉則在機場的登機門與登機門之間進行。

年輕一點時候，出遠門本身就是樂事，稍有機會就想要旅行，一路就是玩。工作了這些年，有堂皇藉口可以度假了。每次旅行卻都是為了公事，好在遊山玩水的心情沒有稍減。更重要的是，山光水色浮光掠影之後，漸漸能由各色文化的觀察中真正生出交流的心得，也算是「寓教於樂」。

在馬德里開會，超過攝氏四十度的氣溫，加上奇差的工作效率，每個人都在抱怨。有意思的是，美國人怪「歐洲人就是這樣」，北歐人怪「南歐人就是這樣」，西班牙地主國則聳聳肩不覺得有什麼不對。仔細看，不同背景出身的人各有一種「地域感」，但這種地域感似乎可隨場合不同而非常的「相對論」。

在美國開會，同樣的情形也發生。和很多「大陸同胞」在一起，大家都是學人，在自己的「國內」都是批判嚴厲的知識分子，但相逢海外，非常微妙的又是競爭又是夥伴的心情混雜。好比說，有人大聲批評共產主義，如果是六四之後逃出大陸的民運分子，馬上有人鼓掌；是國民黨政府官員公開演講提到的，卻被大陸學人質疑。同樣地，有人談到「在處理兩岸關係方面，國民黨政府斤斤計較的態度令人失望，對大陸同胞沒有提供任何實質幫助」，這話我聽了耳熟，覺得自己好像也有過類似批評，但發現發話的人是大陸來的，心裡又不服氣——你又不是納稅人，怎麼有資格監督我們的政策。諸如此類的故事發生下去，一位大陸學人若有所悟地對我說：「隔了四十年，好像我們兩邊各自已經發展出自己的身分認同。」我無法回答，揚起眉攤開手聳聳肩，表示「那怎麼辦呢？」忽然又感覺自己的姿態很「西班牙」。

的確，一方面是各自的地域感，但某些方面一種超越地域的「全球化」文化也在漸漸衍生之中。我和幾位歐洲教授討論西方文化中的個人主義，並且表示羨慕，因為感覺到中國傳統文化中的集體主義和層級關係非常壓抑了個人的自主能力。我說，看見歐洲的年輕人個個奇形怪狀，雖然到了有點看不順眼的地步，但至少比「制式」讓人欣慰。兩位教授卻苦笑回答我，歐洲人已經在檢討，哪裡有真正的個人主義可言？年輕人吃一樣的漢堡可樂，喜歡一樣的歌星電影，法蘭克福機場看起來和芝加哥機場差不多。到了一九九二年，新的歐洲共同體成立，這個世界將變得更緊密，還是更疏離？

科技進步，很遠的地理距離，一飛也就飛過去了。文化交流，差異很大的社會背景，慢慢也有了溝通的共同語言。但有些權力爭奪之下的對立，怎麼樣也妥協不了，人世間不知道到底有沒有「一笑泯恩仇」的傳奇！

一九九〇・七・十七／聯合報／二九版／聯合副刊

處變不進

在國外旅行，幾個禮拜後寫隨筆，有人以為一定是舟車勞頓、疲於奔命所致。其實不然。國外這段期間，除了飛機上上下下，朋友來來去去，大部分時間在非常安靜的氣氛中度過。清晨在鳥鳴中醒來，黃昏在夕照下用餐，晚上常在俯瞰萬家燈火的夜景中和朋友把酒聊天。這樣的日子過下去，會以為人生幾乎是可以停頓的。就連波斯灣打起仗來這樣的消息，也只有在給車子加油時發現油價漲了的一、二聲咒罵中，才見出幾分「世局感應」。大致上，不論在西歐或美國，甚至於日本，都可以感覺出一種人人各得其所的秩序。

回來台灣，人還在歸途中，光是飛機上讀幾份中文報，馬上就感受到時事排山倒海而來的壓力。有打架殺警察的，有國代告大法官的，有反對黨英雄變成孤獨的唐吉訶德，有「投奔自由」變成偷渡遣返而喪命的犧牲者，有冷眼見人復交的遺憾，有急忙應對他人「準建交」的倉皇，有藉口油價危機的重提核電，有打著「興中」、「民主」各色招牌的自立山頭……形形色色，瞬息萬變，真是，「台灣一日，世界大千」啊！

很多人會說，這就是台灣，快速變遷的台灣，轉型陣痛的台灣，突飛猛進的台灣。平常人一日不讀報即落伍，政客一日不作秀即失色，股市風吹草動即暴起暴落，外交稍有得失則或張狂或頹唐，從某些角度看，台灣處處是勇猛精進的象徵，「變動」像是洪流席捲，人人難以倖免。

但是，變動中，我們果真在前進嗎？

好比說，股票市場，在股價加權指數一路超過五千點、七千點、一萬點的時候，回回是放鞭炮開香檳，一路上坡卻又一路下坡，終於回到今天的「低檔盤旋」。

好比說，外交關係，在我們與一個人口跟永和市差不多的小國建交時，「務實」的績效被大加誇張，但更大的損失隨即而來，充滿「出師稍捷身便死」的遺憾。

好比說，台灣的發展經驗，剛剛成為國際政治經濟學界的一個研究重點，八方探討台灣如何以均富的表現成為依賴理論的例外，我們自己卻正體會貧富差距拉大、治安惡化的惡果，國際間隨即出現了「貪婪之島」、「骯髒的富裕」等稱號加蓋在台灣經驗之上。好比說，大陸政策，民間的表現早就「兩岸猿聲啼不住，輕舟已過萬重山」，動員戡亂時期眼看就要結束，政府仍在為「我們知道中共不是什麼，但不知道它是什麼」而猶豫——顯然不是找不到中共的定位，而是找不到自己的定位。

諸如此類，勇猛精進的背後，不是原地繞圈打轉，就是進三步退兩步，好像某種跳不出既定軌跡的舞步，耗盡力氣演一場戲來自我滿足。

我在洛杉磯，回到幾年以前念書時候慣去的超級市場，連食物用品的擺設位置都變動甚少。回來台北，巷子裡離家前剛開不久的小店又換了招牌名目——台北人求新求變卻又無遠慮（當然更無遠見）的精神真是淋漓盡致。這種局面，是「處變不驚」口號訓練下的成果嗎？也許該叫做「處變不進」吧！

一九九〇・八・十四／聯合報／二九版／聯合副刊

沸騰的同情

可能有犯罪集團傷害兒童肢體利用來行乞的消息，經過中廣《聽眾熱線》節目播出之後，立刻引起社會大眾的憤慨、驚懼，和同情。報紙標題用上「殘酷手段，人神共憤」這樣的字眼，適足以描述大眾此刻的心情——但也正是這樣沸騰的心情，可能在處理這個事件上形成盲點，是我們在激動之外不能不有所提醒的。

拐騙兒童使身體傷殘以為招徠的故事，古往今來皆有所聞。這種故事從歷史一路演到今天，正好說明人類的同情心大有可以翻攪利用之處。是這種同情心證明人性未泯，但這種同情心也並未幫助減輕解決問題。以這次事件為例，駭人聽聞至此，卻不是向警方報案，而是向新聞媒體投訴（甚且不是由當事人親目投訴），也許顯示的是民眾不信任（或不知如何尋求）社會治安系統？果真如此，出毛病的是社會的安全警覺。

而媒體在接受這種民眾投訴又未能求證之時，迅速披露固然有示警的效果，但必然可以預料的社會恐慌反應，卻不見得於解決問題有利，國外多次發生媒體揭露並炒作父母虐待兒童事件，「千夫所指」之後才發現是誤傳甚至揑造，受害最深的除當事人之外，反而是同情心高張又失落的社會大眾。另一個例子是一九三八年發生在美國的《世界大戰》廣播劇事件，引起全社會的激盪不安，至今仍是教科書裡研究「集體恐慌」的經典例子。我們無意質疑這次傷害幼兒事件的真實性，但在事情能夠證實之前，除了萬般激動的憤慨和同情之外，也許還需要更多一點的安全警覺和冷靜求證吧！

一九九〇．九．五／聯合報／〇三版／焦點新聞

不健康的體質才是謠言溫床

從中廣播出幼兒受拐騙傷害的聽眾投訴以來，我們的社會經歷了一場情緒的高亢震驚。到現在的短短兩天，事情真相雖然還未水落石出，卻有些峰迴路轉的發展。社會的情緒也許在慢慢平緩之中，留下的卻是更多疑問：是什麼樣的社會，造成經不起風吹草動？是什麼樣的情境，使得謠言這樣容易流傳？是什麼樣的心態，幾乎是熱中地、甘願地互相情緒傳染？

用白話來說，台灣社會很容易發生一窩蜂的現象；而「一窩蜂」和「謠言傳播」同樣是研究集體行為中的重要課題，兩者有許多共同背景。一個社會裡，如果人民對前途不確定，熱切地需求更多可掌握的資料，偏偏消息來源不充足，往往要借助非正式的資訊管道——急切的情緒，加上模糊的事實情境，正是一窩蜂和謠言誕生的溫床。

台灣社會不但正好是這樣一個溫床，而且傳播媒體的有心炒作，以及民眾的預期心理，常常使得傳言散播如火燎原。舉例來說，「大家樂」風行之時，有關台銀開獎作弊的謠言怎樣也澄清不了，我們的研究發現，民眾普遍早有預期政府不可信任的心理。又好比六四天安門事件期間，鄧小平死亡的消息被報導得言之鑿鑿，新聞界固然急著搶新聞，民眾也樂於相信這種消息。此外，例如股票市場因為「又斷交了」的傳言而波動，民眾對於莫測高深的軍方動向的繪聲繪影的揣測，都屬於同樣性質的耳語傳播。在本來就模糊不清而又急躁不安的社會環境中，更添幾分幾乎是人們期待著的亢奮情緒。

了解事情發生的背景之後，我們關切的，不只是新聞多麼道聽塗說，也不只是到底有沒有幼童被拐騙殘害，而是，社會大眾為什麼沒有足夠的資訊來斷定事實真相？環境裡為什麼充滿著不確定因素而使人民信心軟弱？新聞媒體為什麼欠缺道德自律與專業判斷？

利用殘障兒童行乞的消息當然使我們不安。但是，以上這幾個為什麼，也許才真正是我們社會體質不健康所在！

一九九〇・九・六／聯合報／〇三版／焦點新聞

說曲折

有個朋友一次問我，喜不喜歡文學。我想都沒想就答不喜歡。對方「啊」了一聲，好像對這種答案不知如何置評。我自己也有點窘，覺得該稍微修飾一下，想想補充了一句：「我不喜歡曲折。」也不知別人聽明白了沒有。

事後再想，這段對話真是大有問題。「不喜歡文學」和「不喜歡曲折」，顯然沒有邏輯關聯。我的意思，認真地說，是不喜歡用曲折的方法，不管是文字或者言語，來傳達想法。自己不喜歡曲折，也不喜歡費勁去揣摩別人的曲折。但不曲折怎成文學？是這幾層繞彎的想法，才湊出了上面這一段對話。

但我為什麼不喜歡曲折？仔細想，和自己一直扮演的角色有關。從小就給擺在需要認真負責的位置上，總是被派給任務，總是要傳遞命令。長大了教書，變本加厲，自己要發號施令了，總是在教訓人。這些工作，都沒有太多曲折的餘地。以致到了今天，大半靠文字在工作，卻從來不「文學」。這種直接，甚至隱成了個性的一部分。

但，對私人生活境地來說，曲折——甚至曲折到模糊的地步——也沒什麼不好。一次在美國，幾個朋友一輛車，開到海邊專為賞景，卻碰上霧。想看的全沒看見。有人抱怨這霧殺風景，卻有一人慢條斯理說了：「霧也沒什麼不好。人生總要有霧，什麼都看得太清楚了，那好多人得自殺。」一車捧腹。這話後來成了朋友間傳誦的名言。有誰太計較事情，就會被笑話一句，別太認真了，人生要有霧，否則只好自殺。

個人的一生，峰迴路轉，柳暗花明，曲折是聰明的選擇。霧裡看花，不完美的人生也變得容易些。但是，碰到「管理眾人之事」的時候，如果用同樣的手法，曲折就顯得另有目的了。但這類例子真多。原是為延續私己權位的，卻叫做什麼大業。坐地分贓的，叫做憲政改革。是要順民馴服的，叫做忠貞。要犧牲個人的，叫做愛國利他。要使老實方便管理，統統叫做道德。

各種道德都是有名目的。通常的說法是為了「大我」的利益，實質上則是為了某些人的利益而壓抑另些人的利益。說穿了，這也是一種曲折行徑而已。《新天堂樂園》電影裡，小鎮上的神父規定把電影裡的愛情鏡頭統統剪掉，難道沒有他的理由？是他的權威地位，使得他的理由變成了眾人皆須服膺的道德。（這一類或那一類的理由，直到今天，在我們的社會裡仍然言之鑿鑿。）年老的放映師，把所有剪掉的鏡頭留下銜接起來。當放出來，銀幕上出現一幕一幕又一幕的愛情，難道不是一幕一幕又一幕最真實的人生？不但本來感傷的男主角在淚眼中笑起來，那一刻，整個戲院的現象沒有不樂不可支的。本來直接的人生，盡可以照自己的選擇去走過，卻在各種政治的、道德的、冠冕堂皇的名目下曲折起來。曲折到最後，反倒是那曾經被修剪的、被壓抑的、被丟在垃圾桶又偷偷拾回藏起的片刻，才是人生真實的笑容和淚的來源。這一段彎彎曲曲，正好說明人生難辨的虛虛實實。

說了曲折，才發現自己未嘗不能曲折。只不過，這個感想這麼直接，放在這篇曲折文章的最後，雖說首尾相應，倒不對了！

一九九〇・九・十一／聯合報／二九版／聯合副刊

飛機上讀書

在《新聞週刊》（*Newsweek*）上讀到一篇文章，講美國的一個教育實驗。波士頓大學「接管」了附近一個貧窮小鎮Chelsea的學校，進行教育改革，目標是從孩子身上注入希望，使這個小鎮起死回生。Chelsea有兩萬多人口，平均家庭收入只有一萬美金，學生當中只有百分之二十八是白人，其他將近四分之三的多數是各種少數民族，輟學率超過百分之五十。波士頓大學做的事，從籌募經費開始，改進教學設備，加強學前教育，普及成人識字，提高少數民族尊嚴和自信心等等。到現在剛做了一年，還見不出成效，所以這篇報導的題目叫做「沒有奇蹟治療」。

讀這種文章，也是沮喪，也是振奮。沮喪的是，看見孩子從起跑線就開始落後，最教人不平。我有一次在南台灣一個小鎮，看見晒得烏黑的孩子大白天在街上遊蕩，跟他們差不多年紀的台北小孩，好多大概正在冷氣教室裡學英文或電腦。很難說誰更幸福，但現實人生的幸福成功總不是由自己界定的。不過，也有像波士頓大學這種愚公移山的故事，才使得人生蠕蠕向希望移進，不至於總被不平所淹沒。

又讀到一篇文章，講的是espresso這種咖啡。台灣現在時髦了，咖啡除了比全世界隨便哪個城市都貴之外，種類也多了，很多人隨口可以叫出藍山咖啡、哥倫比亞咖啡什麼的。espresso、cappuccino更是時尚，義大利名字，光是發音就讓很多人產生「名牌認同」。

但直到讀了這篇文章，我才了解，espresso無關乎咖啡品種或者產地。espresso是指氣壓方式煮出來的咖啡，義大利人不喜歡一大壺咖啡煮好了慢慢熱著，一九一〇年左右才發明這種一杯一杯蒸汽「擠」出來的咖啡，現在當然已經不只義大利人獨享了。

有意思的是這篇文章最後幾句話。一個咖啡店經理說，自己買了espresso機器在家煮了喝，就像租片子回家看一樣，當然也很享受。但喝espresso應該像去戲院看首輪電影，是一項「社交活動」。究竟，這樣才是人生。

我不但學到espresso是怎麼回事，而且這才明白為什麼台北那麼多咖啡屋。原木地板落地玻璃，喝小小一杯一口都不到的咖啡，端著杯子本身就自認是一種風情。以前看著這樣覺得裝模作樣，現在再想，各人有各人的選擇，又何妨。

這兩篇「讀書心得」放在一起，有點風馬牛不相及。但飛機上讀書本來就是這樣，隨手拈來，是什麼就什麼。台北每天充塞著多少名目堂皇的事。因為名目堂皇，更顯得表裡不一；看起來什麼，實則不什麼。好比教育改革，連個「國父思想」都那麼拿不定，分明「政治指導教育，教育指導思想」。什麼時候才能出個波士頓大學，從校長開始捲起袖子下到社區裡放手一搏？想著義憤，趕緊拿espresso平復自己。人生各式各樣，玩政治偽裝私欲，喝咖啡掩飾心情——後者比起前者，也許人生品味還高一些呢！

一九九〇・九・二十七／聯合報／二九版／聯合副刊

長髮，以及其他的自由

我們常說言論自由。英文裡Freedom of expression，是「表達自由」，範圍更廣一點。由這種題目開頭，看起來又要是一番滔滔不絕的嚴肅道理。其實我想談的是薛岳。

在電視上看見薛岳，演唱會裡又唱又跳，聽眾也是如此。台上台下都那麼投入，真是動人。

薛岳是很好的音樂工作者，作品原創性那麼強。如果只把他當作一個流行偶像，是低估了他在台灣流行樂壇應該有的地位。可惜的是，社會比較注目的有關薛岳的新聞，總圍繞在一些次要話題上，例如他的長髮，他的病。

但也不能說這些是次要的。據說就是因為他的長髮，以致不能在「某台」出現，演唱會轉播只好換台。

薛岳的長髮，可以從很多角度討論，好比說審美，好比說時尚，有人還會扯上社會風氣。但不知多少人想過，這其實是一個「表達自由」的題目？

我不大喜歡長頭髮，不管男人女人，不可能單因為對方留了長髮的緣故而喜歡他。我自己的頭髮，從上中學以後，再沒有比薛岳長過。不過，就像我有權利決定自己的頭髮要短，薛岳當然有權利決定他的頭髮要長。長或短，在各人眼裡也許有美和醜的差別，但我們難道不該被允許有這種偏好上的差別？在一個民主（或者「號稱民主」）的社會裡，這就叫做「表達自由」。

如果我不喜歡薛岳的長髮，我可以不要聽他的歌，不要買他的海報。如果電視上播他的音樂會，我可以換台，或者氣得關掉電視。每個人是有這種自由的。但是，如果有人正好握有某些權力，正好掌握了大眾傳播媒體這種公器，因此運用他的權力（而非專業知識）來決定社會之所好惡，這種情況該叫做什麼？

●

我們的社會，對這種情況並不陌生，甚至是習以為常的。好比說，一件雕塑，如果是星星形狀卻又正好是紅色的，那麼，會有美術館長運用「公權力」來決定這個雕塑應該改漆成白色。你說這是解嚴以前的事？看看現在行政部門仍然動輒怒斥傳播媒體，被壟斷的電視資源隨時有志一同替某些政黨候選人加油，就可以知道，我們距離言論自由的理想還遠。

我們的社會，好像不大相信，某些自由是每個人生而為人就應該享有的，而且是不分貧富貴賤應該平等享有的。這話似乎失之嚴苛，憲法裡不是保障了我們各式各樣的平等和自由嗎？好比說，每個人有信仰自由；而事實上，大多數人依自己的選擇去信了佛教、基督教，或者天主教。但我們別忘了，能信這幾個教，是因為這些是被批准了才能去信的。在以往，好比說，要信一貫教是不行的。你只能在被允許的範圍裡選擇，這叫不叫自由？又好比說，你可以自由去信仰民族主義、民權主義、民生主義；但你有沒有自由說你不信？你進了學校能不能不修這些信仰課？有信仰的自由，但沒有不信的自由——你儘管去美其名，告訴我這算哪一種自由？

我們的社會，充滿了這種那種限制；限制太多，總有照顧不周的地方，於是有人自力救濟，偷渡到一點自由。結局是，正當的自由不給，要各顯神通去營造非法的自由。好比說，金融管制不開，造就了各種地下投資公司；電視頻道壟斷，造就了各地的第四台；政治黑名單不取消，造就了各個偷渡回國的「受難英雄」；私人興學權受限制，造就了嚴酷的升學競爭、很多人神往的「非法」森林小學，和不得不如此的小留學生。以上這些自由，哪一項不是作為一個公民天生應該享有的？先是限制自由，使得某些人要去偷渡自由；管理上鞭長莫及，變成了不均等的自由，各顯神通的自由。這結局，既是自由匱乏，又是自由氾濫。矛盾嗎？卻是其來有自！

談薛岳的長髮，本來，閒閒散散，論一論好不好看也就算了。為什麼偏偏扯上「自由」？徒惹感傷。

一九九〇・十・二／聯合報／二九版／聯合副刊

專業的名與實

最近看了一部日本電影，「蒲公英」，是片中女主角的名字。講的是一個卡車司機，幫助訓練麵店女老闆成為拉麵大師傅的故事。還穿插了一些飲食男女的情節。很難想像這樣的劇情能鋪陳出什麼故事，但結果確實展現了一部上乘喜劇。不得不承認，說日本人只能靠模仿而青出於藍是小看了他們。日本人也有很強的原創力，是我們在台灣藝術界並不常見到的。

但我要說的重點，不在這部電影多麼有意思，或是什麼「日本能，為什麼我們不能」云云。令人驚歎的，是從一部喜劇中窺出的專業和敬業精神。做一碗麵，能有多大學問？但是，從麵糰發酵幾小時，高湯怎麼熬出來，到蔥要怎麼切怎麼放，都是電影裡斤斤計較的對象。比起教科書裡的長篇大論，這部電影用了更輕鬆又簡單明瞭的方式，就清楚說明了什麼叫做「專業精神」。

這幾年，台灣也很流行「專業」兩個字。因為醫師、律師、建築師這些高收入的職業被視為「專業」的典型，所以一般行業莫不汲汲於給自己冠上這個封號。好比說，美容業者如果在牆上掛上一張什麼學院證書，看起來就專家多了。所以大家都拚命為自己找資格證明，證明專家的資格。

不過，想從一張紙來定義「專業」，大概跟想用結婚證書來保證愛情一樣，只見其名不見其實。專業的意思，在於對某一門行業的特殊知識技能和職業倫理，非一般人以常識所能及。所以，在我們的印象裡，店員不是專業，但醫生是。差別不在收入高低，甚至不在一紙證書，而在知識技術的專門性。

從這個角度看，賣麵未嘗不是一門專業，就看你想把它做得多「專業」。就像《蒲公英》電影裡，女主角躲在餐廳後門，偷翻廚房運出的垃圾，想找出別人所用的材料祕方。這樣追根究柢發展獨門功夫，自然可以把賣麵變成專業。反過來說，知識高深如博士教授，也不一定就很專業。我常常被人「請教」一些奇怪問題，諸如女性的自我成長、女性知識分子的人生觀等等，如果回答「不懂」，往往被對方以「身為女性，你一定……」進逼。這種時候，很明顯的，是在被要求用專業的頭銜做非專業的事情。如果不能把持，就要毀壞了教書的專業形象。

但我們的社會，對於濫用誤用專業，卻是樂此不疲。我的一位朋友把這現象稱為台灣的「假專業主義」。好比說，研究社會運動的人談國際關係，統稱「專家學者」；把念外交的人放在經建會，念政治的人放在交通部，統稱「技術官僚」。上行下效，風吹草偃，自然使得專業之名如春風吹野草生，專業之實倒無須計較了。

我看日本人，連煮一碗麵都如此講究，真教人驚悚。比起來，我們大而化之多了，像是「小德出入可也」般瀟灑。只不過，有沒有先顧到「大德不踰矩」的前提呢？

一九九〇・十・十六／聯合報／二九版／聯合副刊

無解

一天晚上，在外面吃飯，才踏出館子門口，就看見一頂帽子。是一頂裝飾著鮮豔紅色羽毛的帽子，實在太引人注目了，盯了一會兒才發現帽子是戴在一個孩子頭上。孩子還穿著校服，手裡捧著一大把花，後頭一個大人推著他往館子裡去，顯然是指使孩子進去賣花。孩子一臉不情願的表情——是因為我盡盯著他的帽子嗎？見他一踏進店就恨恨地把那頂滑稽的帽子摘下。頗有點「賣花不賣笑」的氣派。

我看著這一幕，目瞪口呆，憐惜孩子，又憎惡那個不知是不是「天下無不是的父母」。用力瞪他，想給他一點「千夫所指」，可惜這一點抗議也無疾而終。

從吃飯的地方往家走，一條巷子裡，一家樓下的窗戶往裡看見一間教室。黑板前有兩個五、六歲的孩子，四周滿滿的是圍觀的家長和學生。一個孩子在黑板上寫下大大的「2、6、4、4、8、0」幾個數字，然後把2和6圈在一起，4和4一起，8和0一起。我這個站在窗外的偷窺者笑起來，因為發現了一個有趣的遊戲。抬頭，才看見這是一間什麼數學潛能發展中心的課室。

繼續往家裡走，我一面想，前後十分鐘看見的這兩個孩子，境遇多麼不同。晚上八、九點，一個被逼著出來討生計，一個已經在「潛能發展」。人生的悲喜，難道只能歸諸命運？

再走，再想，我卻有了不同的疑惑。這種時刻，這麼小的孩子待在教室裡，玩二加六等於八加零的遊戲。對他們而言，真的是成年人自以為是的「有趣的遊戲」嗎？

上樓，進屋，迫不及待衝去打電話給一個數學教授朋友，想問問這數學潛能發展是怎麼回事。這位我的朋友裡絕無僅有仍保持著赤子之心的數學教授，還沒弄清楚問題是什麼，光聽到晚飯後的數學課的情節，就歎了一口氣說「好可憐」。我知道簡直不必再問下去了。勉強把問題鋪陳出來，數學家的答案也結結巴巴好勉強：「潛能發展」或什麼名字都不重要；重要的是想要藉數學「發展」出什麼能力來。

「數學，不是為了訓練解題的技巧。連數學的內容都不大重要。數學是為了讓小孩子學習思考，給他多一點想的空間，讓他碰見問題時有一步一步接近和回答的能力。知道和記住二加六等於八並不重要。重要的是能明白為什麼二加六等於四加四。發展出這種思考和分析的能力，自然會變成一個人不可分割的一部分。如果只是學習計算和解題的技巧，一旦不用很快就會扔掉。」數學家說出這一大串類似哲學家的話來。

我聽得一知半解。我們的教育，教和學都是以記憶並且複述標準化的知識為目標，父母師長也都以對孩子強制達成這個目標為榮，也許從沒想過百年樹人是要為孩子培養出什麼不可分割的思考能力。而這些標準化的知識，在升學的路上「工具性」功能如此之強，強加在身上，豈不像是——

豈不像是那個賣花孩子頭上的紅羽毛帽子？一時是戴上了，能不噘著嘴地不情願？背著人，是不是馬上就隨手摘下扔了？

再往下想，要問了，人生的悲喜，難道真的歸諸命運？賣花的孩子和學數學的孩子，受人擺布的情形有什麼不同？是造化弄人嗎？那倒罷了！但若是自作孽呢？

真是無解。數學家也沒法子的。

一九九〇・十・二十三／聯合報／二九版／聯合副刊

怎麼回答?

進教室上課，我用來代替「起立敬禮老師好」的儀式，通常是問學生一聲「你們今天好不好」。學生到底年輕，對於一句普通問候的話，不隨便應酬，總能得到一些滿誠實的回答，「不太好」、「累死了」、「在考試」。很偶爾，大約總要天氣、功課、心情多方面配合，才會聽見一句宏亮齊聲的「很好」，碰到這種稀有時刻，我都忍不住笑起來陪他們「眾樂樂」。

依照成年人在紅塵俗世所受的折磨來衡量，二十歲以前的歲月，想不出來有什麼可憂慮的。尤其是大學生，已經度過升學制度的災難，為什麼老是顯得「常懷千歲憂」，我真想不明白。

但是，想不明白是不對的。放眼看去，我們的孩子的確不快樂。而且，他們都有正當的理由不快樂。別的不說，光看報紙，有關青少年兒童的新聞，鮮少令人愉快。不到十歲的孩子偷錢，給爸爸吊起來打死。中學生集體吸毒，十幾個一起送少年法庭。從幼稚園到大學生放學後打電動玩具，色情賭戲百無禁忌，總之慘不忍睹。

終於有人受不了了。一個高中生寫信問國父，「您是不是傷心透了？」學生太客氣了，傷心欲寄無從寄，只好遙遙借問國父是不是傷心。父母師長看見年輕孩子這麼有禮貌地抗議，心裡怎麼想？

很多人用各種方式預測未來。政府官員最喜歡用的是公元兩千年的國民生產毛額，台灣一定躋身已開發國家。或者「六年國建計畫」，人人住有屋行有車，分享台灣變成西太平洋國際金融中心的榮耀。要不還有「大趨勢」、「大探索」，為我們描繪遠景。但是，依我看，預測未來不用法術，不用幻想。未來的主角，是今天的孩子；今天的孩子，就是台灣的未來。

那麼，看一看今天的孩子，讓我們猜一猜台灣的未來。孩子在充滿分數競爭的環境裡長大，將來一定現實勢利。在充滿體罰苛責的環境裡長大，將來一定暴戾凶蠻。在成年人以說謊詐欺為身教的環境裡長大，將來一定變本加厲還以詭詐。許多人少責備學校風氣敗壞；事實上，今天的校園，難道不是現今社會的縮影？難道不是明日社會的藍圖？

所以，何必去問經建會，何必聽信政府官員言之鑿鑿的描摹推估，我們不但在寫歷史，也在寫未來——給孩子怎麼樣的生長環境，就是給我們自己怎麼樣的未來。

那麼，看見一個高中生殷殷相問，「很多人怕事，不負責任」、「只圖經濟建設，大家心靈都是草包一個」、「教育突然重回舊科舉模式」，關於台灣的前途，國父一定不知道怎麼回答。我們又該怎麼回答？

一九九〇．十二．十八／聯合報／二五版／聯合副刊

在百老匯看戰爭

的確，在打仗，有些人正在為某些正義或不正義的理由而滿手血腥。旁觀者則或者慷慨激昂，或者悲天憫人，或者義正辭嚴，或者至少為波動的油價皺皺眉頭。全世界都在戰爭的陰影下過日子。

而在紐約百老匯的舞台上，一個充滿歌聲舞影的地方，戰爭的影響力又是怎麼顯現的？大約攝氏零下五度的氣溫裡，我在百老匯排隊等著早已看過的《屋頂上的提琴手》音樂劇，自己也不明白是出於怎樣的一種偶然。實在是因為其他幾個正熱門的戲都買不到票。而這部音樂劇捲土重來，主要的號召力是二十年前電影裡的男主角托普（Topol）。他出身舞台，卻因為電影而成名，以至於宣傳海報上索性把這部戲叫做「托普的屋頂上的提琴手」。就為了托普本人在舞台上的手采，排隊等吧。

但是，進場，節目單卻夾著一張通知，今天托普的角色換人演了。好些觀眾低聲地罵，覺得被騙了。

燈暗，要開演了，擴音器裡又宣布一次，托普不能演出。觀眾席一片歎氣聲。但是，下一句話是，「托普今天不能出現，因為他回到以色列去了，和他所愛的家人和同胞在一起。讓我們為在中東的人民祝福。」

歎氣聲變成了一片掌聲。一直到終場和謝幕，觀眾的掌聲再沒有比這次更熱烈的中場休息，看節目單，才發現托普是特拉維夫人。這次以色列受攻擊的地方，正是托普的家鄉。一個國際性的明星，放下事業投身戰火中的家鄉，這又是什麼樣的戲劇人生？

早已傳誦爛熟的，是以色列人多麼盡忠愛國。彈丸之地全世界無人敢輕侮。托普的故事，不過是這整部傳奇的一小節。

但是，我的感受卻是迷惑的。

民族主義其實是很容易的事，這種感情那麼直接，又加上每一個政府無不極力增強的各種教化，使得民族情感成了「大愛」的代名詞。

但是，大愛所在，不也是大恨的源頭？歷史上的戰爭，不知有多少出於民族主義，而且因著這個理由使得戰爭正當而神聖。美國為什麼要捲入戰事？猶太人早就摩拳擦掌。伊拉克又為什麼挑上以色列？太明顯的理由，正使人看出民族主義，甚至狹隘到種族主義，受到操弄的危險後果。

富蘭克林說，沒有所謂好的戰爭，也沒有所謂壞的和平。這樣說起來，有沒有哪一種戰爭比較理直氣壯？比較更神聖？反過來說，越是所謂的「聖戰」，越是除惡務盡那樣地血腥。那麼，也許我們可以說，有某一種戰爭是更壞的？是不是這樣呢？

看見頭上戴著圓帽的猶太孩子，整批由大人領著來看《屋頂上的提琴手》，不忘記血淚，也不忘記仇恨。這樣的問題，也許永遠沒有答案吧。

一九九一．一．二十九／聯合報／二五版／聯合副刊

邊緣

「雅痞」這個稱號被人避之唯恐不及。名牌衣服的標誌繡在衣襬看不見的地方。BMW推出價錢才兩萬美金的新車。吃飯的時候桌上不再非擺一瓶「沛綠雅」礦泉水不可。《第六感生死戀》一類的溫馨愛情小品大行其道。「麗絲．克蕾波」的新香水叫做「現實」，廣告詞是：現實是最棒的一種幻夢……

這些現象的出現，有什麼共同意義？

最近讀一篇文章，談八○年代雅痞風尚的消逝，以及九○年代樸實歸真精神的興起。這其實不是新鮮的題材了，這種轉變早兩三年已經悄悄在發生。事實上，就算在「雅痞」這個名詞最風行的時候，時髦的人雖然行為上亦步亦趨，表面上也絕不承認自己身屬這個族群——但這正是整個雅痞風尚虛矯的一部分。裝模作樣的物質主義終於使人疲倦？所以才有今天返回樸素平實作風的興起。

引起我感想的，不是美國社會風潮的轉變，而是我們自己。潮來潮往，台灣隨波漂浮，定點在哪裡？某些時候，台灣似乎（或者號稱）與尖端同步。例如，流行服飾的廣告詞是「台北巴黎零時差」，或者私人俱樂部裡可以吃到法國空運來的生蠔，當然打網球的運動服和慢跑的絕不會混淆。

對物質的貪得無厭，發揮得再淋漓盡致不過。如果你在全世界任何一個機場見到台灣遊客，一定以為台灣正在鬧饑荒——一種極度缺乏洋菸洋酒和化妝品的饑荒。每個人大概平均會買八條菸，四瓶XO，六瓶雅頓或者蘭蔻的面霜，還要尖聲叫喚其他沒有買菸酒的同伴幫忙再帶一些。

對物質的無盡追求，在台灣的例子裡，顯然不是出於匱乏。那麼也許可以說它是一種時尚。這便引起我們追問幾個問題：這種時尚從何而起？可能往什麼方向發展？最重要的問題應該是它對台灣社會、文化的影響，但這一部分我們已經有了太多抱怨，而少有反省和脫身的能力。

我的聯想有兩個。第一，越是號稱趕上潮流的，越顯其在潮流之末——既然以某一風潮為標的，顯然只能做追隨者了。最近參加一個研討會，對於「中央」和「邊緣」頗多討論。一個論點是，中央之所以為中央，是因為被人奉為圭臬；想望其項背的人，自然把自己推到了邊緣的位置。

第二，體驗到「媚俗」之俗的人，如果不能自主地找到自己定位，仍舊免不了身陷另一種風潮而身不由己。例如在台北，曾經某一陣流行，越時髦西化的人忽然都素衣布衫，坐禪聽道，學陶藝買骨董。這一點昆德拉說得最好，每個人都極力反時尚以凸顯自己的不媚俗，結果形成了一個新的人人追求投身的時尚。所謂媚俗不過如此。

所以，不管怎麼抵抗流行？如果看不清自己，永遠只在邊緣。

一九九一・二・二十六／聯合報／二五版／聯合副刊

重建

仗打完了，接下來的工作是重建。但談來談去，所有的討論都是企業界如何投資中東戰後重建。好像需要重建的不過是工廠房舍。

但這正反映我們的一貫心態。我們的視野，僅限於肉眼所及。所以房子塌了，就再蓋一棟新的，建築物千瘡百孔，用水泥來補；有洞就填平，缺了就添上去；凡是壞了，依原樣修好。這也就是中國人說的鋸箭法，把箭尾鋸去，就看不出受過箭傷。

鋸箭的說法，聽起來可笑。但在現實生活中，面對毀壞和重建之間的關聯，我們的態度並不比鋸箭更高明。好比我們相信，推翻一個暴政，就會降臨民主。關一個壞人在牢裡，就少一件犯罪。社會風氣不好，就高聲地喊教育和道德很重要。交通很壞，就叫拖吊大隊把違規的停車拖走。孩子在學校受苦，就叫老師星期一不要考試。地下活動很蓬勃，就宣導好國民應該守法。總之跟鋸箭的想法相去不遠。

如果我們明白，中箭的傷害，不只是露出體膚之外的一截箭尾，不能只靠鋸箭來治療，那為什麼我們會相信，壞了遮起來、塌了補起來，就能夠「重建」？

每一件事情發生，在我們眼睛所能見，感官所能體會的實質效果之外，都有一些前因後果，是看不見但並不表示不存在的。這點胡適早就說過。胡適說，吐一口痰在地上，也許一會兒就蒸發不見了。但細菌飄浮在空氣裡，散播四方，影響一直一直傳下去。

打一場仗，死了很多人，炸毀了很多房子。但需要重建的，豈僅是把房子修好，趕快補充人口？戰爭的教訓，不但海珊沒學到，布希又何嘗學到？眉開眼笑談軍事勝利，使人更加相信武力的力量，是這次戰爭最壞的一個教訓。同樣地：心心念念只想爭食「重建」的大餅，就像從戰事開始沒有我們的市場和角色，是這次戰爭中台灣最壞的一個收穫。我們的眼光，很少超越物質實體之外。台灣社會，也經歷過各種毀壞，但我們自己的重建工作又如何？窮了，只想富，以至於變得富裕又貪婪。兩岸分離，只想號稱正統，以至於在國家和文化認同上，既不像中國又不像台灣。治安不好，只想用一個一個「專案」來處理，以至於死刑犯年年創高峰。升學壓力過重，明明是就學管道不肯自由化的問題，只知呼籲老師少考試多愛心，以至於學生被逼得跳樓自殺的事實在官官相護之下消聲。司法風氣惡劣到不堪的地步，只想用「皇后的貞操」來辯解掩飾，以至於人民再沒有一個公正獨立的力量可信靠。公共政策沒有獲得普遍民意支持，只想用「反核電就不給你建公路」的方法威迫利誘，以至於國家建設預算玩弄於私人口袋裡的算盤。

我們以為的重建，其實是一種敗壞的延續。這第二度敗壞，是第一度敗壞之後，諉過爭功的後果。你不該用武力打人，所以我用武力打你。你不准我KTV開到凌晨三點，我就從三點開始賣早點。你不准我星期一給學生考試，我就在星期二考加倍的分量。你不給我選票，我就不給你公共建設……我們以為威權秩序倒塌之後，開始的是重建，但我們究竟重建了什麼？

一九九一．三．五／聯合報／二五版／聯合副刊

拼圖人生

最近開始玩拼圖。早聽說拼圖多麼風行，一直以為反映的是現代人無從排遣的寂寞。自己玩下去，才發現道理不止如此。

有些朋友玩拼圖，純粹喜歡比大，比難。「你玩五百片的？我拼的都是兩千片。」他們的樂趣在於成就感。但也有人對拼圖不屑一試，理由正是缺乏成就感。再怎麼拼，只能往既定的圖形去完成，沒有個人創造發揮的餘地。

我原先也這麼想。尤其剛開始玩的時候，被教導的要訣是從四邊下手，先使框架成形，再摸索中間的圖案。這種玩法，容易些，但十分顯出拼圖遊戲的「有限」。好像只能在既定的格局內行走，走來走去，只能走向一個注定的結局。

因為「有限」，我一開始便認定拼圖一定乏味。結局固定的遊戲有什麼好玩？但忽然聯想到，結局固定的豈止拼圖，整個人生不過如此。這樣一想，便豁然開朗。

每個人，初生便注定了結局；在人生結局一事上，沒有人有什麼不同。這樣看起來，人生的意義實在不在結局，而在過程。

拼圖正是如此，下手之初，已經對最後的成形了然於心。但還是孜孜不倦玩下去，因為整個拼圖的目的就在過程，樂趣也在過程。雖然「同歸」，但人人「殊途」，過程本身就能創造出各種不同的意義。所以，儘管有限，還是可能柳暗花明。

想到這一層，不但拼圖變得有樂趣，也許人生的態度也輕鬆了一點。一路走，一路提醒自己，不要浪費了過程中的樂趣。

但是，拼圖之中——也許正像人生一樣——還是出現很多無法避免的挫折。挫折之一，在於領悟到某些事件的「必然」。說起來，拼圖本來就是成形的圖案打碎又還原，每一個碎片都有固定的位置，「必然」不足為奇。人生雖有固定的結局，但自己在過程中可以做主人，留下不少揮灑的餘地，應該自由多了。

但環顧四周，銅牆鐵壁的制度十分剝奪了人的自主性。好像人是被擺置的一塊碎片，制度才是拼圖的手。看最近的例子，不管是司法院「送閱制度」的風波，或者是部長家人涉及股票內線交易的金權勾結，我們也許歎息人性的貪婪軟弱。但這些個人行為，都是不健全制度下的一個「必然」而已。制度的無意或有意的設計，決定了人在其中的行為走向；好像拼圖之中，每一塊碎片都離不開固定的位置。

我一面玩拼圖，一面覺得迷惑。有時候，覺得拼的是自己人生的圖，一面走一面玩。有時候，覺得自己正被一個不可抗拒的規格所限定——這種時候，只好回顧現實，看看例如「送閱制度」終於被廢除的例子，想想看個人也許不是全無向制度挑戰的力量，才能重新對人的自主性拾回一點信心。

玩拼圖，原是為了遠離現實；一面玩，一面仍是放不下與現實人生的對照。真不知道，這是損失或是收穫！

一九九一・三・十九／聯合報／二五版／聯合副刊

誰可能犯罪？

當犯罪報告顯示謀殺、強暴、搶劫案件的增加，很多人及政府官員會表示關切這種犯罪浪潮，及法律和社會秩序的崩塌。然而，如果在選舉期間揭露了涉及政府和政黨官員的廣泛非法活動，大家都傾向於把這些事件淡化為「政治」而已。

這段話，我們讀起來心有戚戚焉。但卻不是什麼評論家在針砭時政，而是一位美國的社會學者對一種社會事實的描述而已。他的論點很清楚明瞭：所謂犯罪，不一定有一致的客觀標準，往往是社會大眾的認識和界定的結果。這就引起我們追問一個有趣的問題：什麼人，發生的什麼樣行為，會被認為是犯罪？

談犯罪，本來就枯燥；還要用社會學家的話作引言，更加看不下去。但我想談這個題目，的確是心有所感。先說一個比較簡單又容易見到的例子。

這幾年，「校園暴力」的問題很嚴重，老師父母學生談起來無不心驚，一致譴責「校園小霸王」之流的問題學生。有些孩子給嚇得不敢上學，父母當然痛心疾首，教育界人士則呼籲這呼籲那。

校園裡的小霸王當然很嚇人。不過，在校園裡使用暴力的，豈止這些問題學生？台灣中小學的教室裡，有沒有幾間是清白到從沒有老師在裡面體罰過學生？同樣是暴力，假「管教」之名便堂而皇之。這便是我們社會現實的一個縮影。

視線伸廣一點，類似的例子不勝枚舉。違規停車很可能被拖吊，但是，來來飯店門口占據人行道的大黑轎車有沒有被開過罰單？買票賄選是犯法，競選期間用政府預算來承諾的公共建設算不算賄選？公務員不准去大陸的時候，「亞銀理事」可不可以去？法院正在祕密偵訊的時候，行政院長可不可以隨員浩浩蕩蕩進去參觀？

就像文前描述的，很多事情在冠以「政治」之後，非法也被視為當然。從這個角度看，華隆案發生，對社會的作用倒是很正面。類似的利益輸送的案情不知發生過多少，幾乎成為少數人獲利的「常軌」。若不是閣員家人涉案引起社會喧騰，誰認真評判過這類事件的非法性？所以說，出一次事情，提醒一次犯罪的界限，也算社會的收穫。

中國人的心裡，常常存著一個道德標準來定是非，這個道德標準在傳統格局的文化因素下，適用時卻往往因人而異。正是因為這緣故，學生打人叫「暴力」，老師打人叫「管教」；庶民叫「背信」的，政策叫「朝令錯，夕改又何妨」；老百姓依賴憲法的，政府可以用行政命令對付。長此以往，值得我們擔心的，也許不是人為什麼會犯罪這種古老問題，而是什麼人可能犯什麼罪的問題。美國式的政治文化裡，國家元首可能因為犯案而下台，中國式的政治文化裡，政治領袖永遠是集忠孝節義於一家的人物。這樣想下去，問誰可能犯罪，倒真像多餘了。

一九九一・三・二十六／聯合報／二五版／聯合副刊

負負得正？

在我們日常生活裡，大部分面對的，是正負對決的場面。電影，是好人對壞人；武俠小說，少林對邪教；愛情連續劇，痴情女對負心漢；童話故事，小紅帽對大野狼、白雪公主對巫婆；革命，義無反顧的烈士對腐敗無能的滿清；打仗，英勇的國軍對殘暴的日寇；教科書裡，英明的政府對萬惡的共匪；世界大戰，主持正義的布希對十惡不赦的海珊。縱然柴米油鹽的尋常日子裡，也總存在著大大小小鍥而不捨的良心與魔鬼的掙扎。

在這樣的邏輯下，地球安心地運轉，不必擔心壞人太多，因為光明最後一定戰勝黑暗；沒有壞人，哪顯得出好人的神聖？也不必因為好人太多而覺得乏味，道高一尺魔高一丈，有勝有負才可能生生不息。人生的故事，似乎就建立在這種正加負等於零的平衡上面。

但就像很多人歎氣「這個世界簡直是反了」，這個世界真是反了。就在此時此地的台灣，各式各樣的傳奇故事令人目不暇給，再也不是問一句「誰是好人誰是壞人」就能回答得了的。

好比說，最貪心的，還有比資深國代更貪心的嗎？曾經被那樣千夫所指，讓成千上萬的青年學生風裡雨裡靜坐聲討，他們卻唾沫自乾，甚至再接再厲而怡然自得，那麼，現時選出的增額民意代表應該是眾望所歸了。但是，一般民眾所聽說的，檯面上和檯面下的，金權勾結、關說特權、包攬工程等等黑暗故事，又多是以什麼人為主角呢？本來期望良幣驅逐劣幣，但經濟學家早預測過不會如此。又好比，最蠻橫的，還有比立法院更蠻橫的嗎？一會兒噴水槍，一會兒玩火，一會兒「敷衍兩句」說完又擦掉。但行政院當然也能與之對抗，一會兒朝令，一會兒夕改。立法院會刪預算；行政院自己也會刪，看不順眼的公路就不給建。立法院會大吵大鬧；行政院瀟灑以對，「揮一揮衣袖不帶走一片雲彩」（只不過帶走文武百官）。本來期望兩院制衡的，結果像是電視觀眾常歎氣的「三台比爛」，兩院較勁的都是人民所不樂見的地方。

又好比，最堂皇的，還有比民主口號更堂皇的嗎？但是，政治野心可以藉學術包裝，派系鬥爭可以藉基金會、藉選舉、藉立法院質詢來找尋舞台演出。於是，你競選，我候選；你民主，我國策；你什麼流派，我非什麼流派；你鬥掉我一個人，我也鬥掉你一個人；你想讓我「成仁」，我說是自己「求仁」只得一半，等等。本來期望競爭帶來良性改革，呈現在眾人面前的卻是以黨營私，以黨誤國。

這些戲，看得人目瞪口呆，一下子分不出好人壞人。書裡只寫過正義對邪惡的下場，卻沒說過不正義對不正義該如何。彷彿，以往正加負等於零的遊戲規則，忽然修正成為，負負得正。

但真是這樣嗎？如果能負負得正，倒是滿好的結局。

但是，隨想一：負負得正，只有乘除如此。加減則不然。如果是負加負，只怕變成一個更大、更補不起來的負。

隨想二：負負得正，是數學的說法。如果生物的說法，是不是該叫做，狗咬狗一嘴毛？

一九九一・四・九／聯合報／二五版／聯合副刊

界限

一次在國外旅行，一個計程車司機問我，如果有用不完的錢可以買兩部車，會買哪兩種。我想一想回答，第一部要BMW，第二部要福斯（VW）的小車。司機大笑道：「我會記得你。」他說，這個題目問過不下一千個乘客，百分之九十八（太誇張了吧）的第一選擇是積架，第二選擇是賓士。另外不少男人喜歡保時捷跑車，有的女人喜歡勞斯萊斯。「很少人選BMW。也沒有人選過VW，還是小車。」

我趕快解釋，選VW因為是我們正在開的車，小又結實，很滿意——沒說出口的是，活在台北需要「因地制宜」。順便也承認，積架的確是我認識的車裡最漂亮的一種。「太漂亮了，好像是專門欣賞用的，沒想過要拿來開。」

「你未免太缺乏想像力了，」那個計程車司機教訓我：「要儘量往最好的去想。想要過最好的，才可能實現成真。」

這種讓人發揮想像的題目，好像很適合用來測驗性格。奇怪我對車子這麼不敏感，被歸入「實際而少夢想」的一類，跟平日受到的評價不大相同。我寫文章，常常接受各種「指教」。不少人認為我太過理想主義，對現況批評太多。「真正去做才會知道不容易的」、「不能不承認現實的困難」、「世界上哪裡有真正的民主呢」、「不可能要求完全的公平正義」，朋友們常常一面這樣批評我，一面好像在安慰他們自己。

我面對這樣的評語，常常無言以對，偶爾辯解兩句也是有氣無力。人生總有不易實現的理想，幾乎成了必然的磨難。但真正的挫折，不在於理想不能實現，而是太快就承認了現實的困難，連夢想的能力也退化了。「西方的民主不一定適合中國社會的」，很多人這樣替不理想的現況辯護——就像我替自己的選擇辯護，那麼漂亮的積架車是無法想像在台北的路上開的，活在現實的框架裡，我們都侷限了自己的理想，終於使得視線無法超越此時此地。

如果人只能活到這種地步，一定很慘，就沒有今日的文明了吧。蘇軾寫〈日喻〉，「天生眇者（目盲）不識日」，聽人說銅盤似日，敲之有聲，以為是日，又聽說燭光似日，試試蠟燭的形狀，後來摸到小笛子又以為是日。目盲的人受這樣的限制也許不得已，但也有人不願意為人生設限的。《第六感生死戀》的黑人女演員琥碧戈珀，上台領奧斯卡最佳女配角獎的時候說，她從小就決心要拿這個獎，她的家人都聽煩了。那個計程車司機不也說，想要最好的，才可能實現。

一般人呢，根據那個司機的「民意調查」，談起夢想的車，顯然不吝於儘量發揮理想。

但面對需要改革的社會現實，為什麼總是高處不勝寒！

一九九一・五・七／聯合報／二五版／聯合副刊

麥卡錫的聯想

麥卡錫的故事，有些人沒聽說過；很多人聽說過，不一定知道得很清楚。今天這個時節，也許是氣候的關係吧，我一次兩次想起麥卡錫，想起這個名字在當時和現今的意義。於是想說說麥卡錫主義。

麥卡錫，美國參議員，以反對共產黨著名。我們對這類人會加上一個「反共鬥士」的頭銜，麥卡錫當之無愧。他從一九四〇年代末期開始掀起激烈的反共運動，在當時冷戰的時代背景之下，影響所及如風吹草偃。他指責有共產黨員滲入美國國務院，引起美國社會的義憤填膺及反共恐共情緒，大量的政府官員、藝術家及知識分子上了黑名單，史密斯法案也成為一系列共產黨員被起訴定罪的依據。這便是所謂的「麥卡錫主義」。

麥卡錫主義風行的年代，共產黨被認為是對美國安全的最大威脅，任何反共的動作都在大義凜然之下進行。除了共產黨領袖直接被捕之外，任何被認定與宣傳共產主義有關的言論也被入罪，在號稱保護言論自由與學術自由的大學校園內毫不例外，許多教授被開除或解聘。由於這股號稱正義的「主流」是如此眾口一聲，以反共之名打壓異議分子遂顯得理直氣壯。

麥卡錫於一九五七年去世。在此之前，參議院已於五四年對他「違反參院傳統」的行為決議正式譴責，但麥卡錫主義的影響力仍持續了一段時間。遲至一九五九年，美國最高法院仍援用以往的判例，認為冷戰期間對美國共產黨員的言論限制並未侵害他們的憲法權利，並續有大學教授為此入獄。

「平反」來得很遲。直到七〇甚至八〇年代，才有些早先受麥卡錫主義波及的教授慢慢恢復教職，當初開除他們的學校董事會公開承認錯誤，或頒給他們榮譽學位以為補救，有人受到金錢補償。「很慢很慢地，學術界進行補救，但很多當初上了黑名單的教授等不及還其清白已經去世了。」研究這個問題的雪克教授寫道：「學術界自身的力行麥卡錫主義，緘默了一整代的激進知識分子。」大英百科全書寫麥卡錫：「國內外開始指責他是蠱惑民心的煽動家，他的名字成為政治投機和公開誹謗的同義詞。」

以前有一首流行歌：想起了沙漠就想起了水，想起了愛情就想起了你，現在，不知是想起了什麼，總令我想起麥卡錫主義。其實，反共或不反共，早就不是關鍵題目。就算在動員戡亂時期結束之前，已有不少具備半官方身分的人物前往大陸，與共匪那個「叛亂組織」的領導人公開接觸，握手晤談的照片成為英雄而非叛亂的證據。懲治叛亂條例英雄無用武之地，於是拿來對付台獨，大義凜然與以往對付共匪無異，大概也與麥卡錫的信徒一樣理直氣壯。直到引起社會這樣巨大無可彌補的傷痕，才來急急忙忙（總算）亡羊補牢。

共產主義好不好呢？在美國其實從未真正流行過，今天為當初麥卡錫主義的受害人平反，主旨不在稱頌他們真知灼見，而在重新確認人們思想及言論自由的權利。如果不是因為這一點點有些人用生命去爭取來的權利，那麼，歷史上曾經堅信不移的思想主流——地球才是宇宙的中心，人是神創造的，有色人種是劣等的，黑人天生是奴隸，女人不應該有投票權，政躬康泰吾皇萬歲萬萬歲，等等，更沒有一點受到質疑和修正的可能。

所以，那麼樣自認為大義凜然的人，看一看人類的昨天和今天，是不是在「除惡務盡」的時候，能夠想一想麥卡錫主義！

一九九一・六・四／聯合報／二五版／聯合副刊

不朽

流暢地說著一段又一段故事的昆德拉，當他用「不朽」作為新書的名字的時候，心裡在想什麼呢？昆德拉其實自己是不信不朽的。早早他就說了，這個世界賴以立足的基本點，是永劫回歸的不存在，因為如此，歷史只不過變成了文字、理論和研討而已，變得比鴻毛還輕，嚇不了誰。

中國人說的「不朽」，要嚴肅得多，甚至自以為是的神聖多了。我們想起不朽，總是「不朽的偉人」吧！要立德立功立言，在肉體腐敗歸於塵土之後，還試圖留下些影響力，糾纏盤踞在後人身上。

是由於對「不朽」這個神聖概念的留戀崇拜，中國人竭力營造不朽。塑一個像，要銅鑄鐵造，立在那裡千年不壞，微笑著俯視後世子民。寫一本兩本很多本書，或者遺訓或者嘉言錄，教室裡辦公室裡誦讀，叫人一輩子兩輩子很多輩子不忘記。乃至作一個政策，一開始就鎖定十年百年後也許仍不能的目標，處驚不變下去，為的是立千秋萬世之功業。這些是中國式不朽。也是中國式幽默。

但這些不朽都成為歷史了，滄海桑田只在一瞬間。曾經的豐功偉業，「只不過變成了文字、理論和研討而已，變得比鴻毛還輕，嚇不了誰。」

事實是，沒有不朽，沒有人再稀罕不朽——也許這是為什麼台灣被叫做位在「快速變遷的轉型期」。快速變遷，反映在政策上：覺今是而昨非，朝令錯而夕可改。反映在現實利益的考量上：什麼一票制、選區劃分，都以「政治現實的過渡性」為辯護理由。反映在政客的嘴臉上：昨天鬥爭而今天和解，昨天堅持而今天妥協，昨天連署而今天撤銷，昨天支持而今天倒戈，利益相投則一拍即合，風向變了就「擇良木而棲」。所謂「翻臉比翻書還快」，比電視連續劇更驚奇的劇情天天教人目不暇給。

是的，再沒有不朽。甚至沒有明天，沒有昨天，只有今天，只有眼前。昆德拉早就說過不朽的荒謬，他在「不朽」裡繼續說道渴望做一個實驗：將電極安置在一個人的頭上，計算他將生命的多少百分比用於現在，多少用於回憶，多少用於將來。「我們可以這樣來發現人同時間處於什麼樣的關係。人的時間是怎樣度過的。」昆德拉的疑問，台灣的例子不是正給他一個明白的回答嗎！

但討論「人同時間處於什麼樣的關係」的，又豈止昆德拉一人。坐在輪椅上的物理學家史蒂芬・霍金（Stephen Hawking），用一個不那麼浪漫的說法，提醒一個我們早已知道卻不常深思的事實：人是生活在過去的影響之中的。我們現在見到的太陽，是八分鐘以前的太陽，太陽如果現在毀滅了，我們還要再見到它八分鐘；我們如果現在毀滅了，我們言行的影響力——不管多麼短暫地——還是會存在一會兒的。所以，沒有人能避免自身行為的後果。每一個今天都是很多昨天的相加。

是文學家與物理學家的差別嗎？不朽是荒謬的；只知眼前卻是無知的。那麼，台灣熱鬧滾滾的政壇呢？

霍金的警語肯定很多人是聽不懂的。也許我們只好用昆德拉的話來試著理解現況：回歸的不存在，暴露了道德上深刻的墮落。因為在這個世界裡，一切都預先被原諒了，一切皆可笑地被允許了。

一九九一．六．二十五／聯合報／二五版／聯合副刊

物換星移

物換星移，如果放在電視連續劇裡演，多半是一個潺潺小溪的鏡頭過場，表示時光流水一般地逝去了。然後畫面出來一個蹦蹦跳跳本來還沒有的孩子，或者男主角的頭髮添了灰白。於是觀眾的心情隨流水浮沉，悠悠地就這樣走過十年光陰。戲如人生，一定是現實生活大半就在不經意間這麼過去，所以觀眾輕易信了這一條小溪。但這裡說的還只是時光流逝，本來就由不得人。如果加上人為，物換星移的痕跡就更驚人了。

家裡的電器壞了，想拿回本來購買的店去修理。街上走一遍，才發現原來的店早就換了。仔細數一數附近幾條街巷的店，沒有幾家是當初搬來就在的，總是見它起招牌，見它店拆了。以前做生意的都要標榜「老店」，今天說到老就是老而不死謂之賊。

電視裡，簡直是一夜之間，所有的廣告都變成一半國語一半閩南語。從冰棒到冷凍水餃，還有撲滅登革熱。以前連續劇裡說台灣國語的總是演下女，現在金素梅的照片計程車司機貼在車裡滿街跑。不過縱然這樣地物換星移，碰到立法院要刪廣電法第二十條有關方言節目的限制比例，還是有「謂之賊」的一批委員拚命護衛。可見孔子當年那樣說也有一番道理。

曾經在學校教科書中被描述為「屠殺異己，奴役人民，把持工商，榨取農民，姦淫婦女，真是罪惡滔天，罄竹難書」的共匪，成為今天總統府諮詢機構國統會規劃「三邊會談」的對象。讀這樣教材長大的孩子，不知要怎樣調適心情來面對現實，類似地，多數人聽慣了中華民國國號，罵慣了台獨，忽然看見日本讀賣新聞一版出現的李登輝總統照片，旁邊伴著好大字的標題「台灣總統……」這樣的物換星移，又不知要怎麼樣才能讓人心平氣和。

有些學術界的朋友說，台灣是一個很好的實驗室，我們都是這場急遽的社會變遷的觀察者。我總是遲疑。如果只是看電視劇，流水鏡頭過後，心情閒閒走過十來年，看什麼人事全非也都輕鬆自得。但我們哪裡是在看電視劇呢！物換星移的是自己的生存環境。想像一下實驗室裡受人擺布的小白鼠驚惶亂竄，比起來我們不知到底勝過幾分！

一九九一．七．十六／聯合報／二五版／聯合副刊

猴模猴樣

我很少嘲笑動物，偶然為之，事後多半發現嘲笑的是我自己。是動物行為在毫不留情的諷刺中所映射出的人類自身影像，才是引我發笑所在。

——羅倫茲（K. Z. Lorenz），動物學家，《所羅門王的指環》

活在今天的台灣，有時候真教人不知是怎麼回事。好比說，「分贓」絕不是個好字眼。法律上，贓物是犯罪的證據；人際往來，罵一句「分贓」是羞辱對方人格。但如今，被輿論用「分贓」字眼群起攻之的對象卻是執政黨和最大反對黨，罵的是選罷法修訂過程中兩黨營私牟利的行為。一方是號稱「永遠和民眾站在一起」的黨，另一方把「民主」二字直接嵌進黨的名稱，而人民卻只能咬牙切齒口裡罵罵這兩方政治分贓。

但值得一書的事件尚不僅於此。人民的聲音不是完全聽不見的，於是這兩個號稱以人民為基礎的黨又有了新的辯護動作。一方說「嫁禍東吳」，一方說「不是本黨的責任」，雙方都不忘的是辯稱自己主張是「衡酌民意」的結果。不但說詞類似，心態類似，尤其重要的是，當利益一致的時候，不同的立場都可以變得一致。

好像兩個人隔著鏡子對罵。對方的缺失反映的正是自己的嘴臉。唯其如此，罵得更要理直氣壯——人最最心虛懊惱的時候，都在面對自己。

這樣的例子一直一直在發生。我十年前到美國念書，剛開始接觸大陸留學生，最吃驚的是發現他們念過和我們幾乎一模一樣的教材：都是要「解救生活在水深火熱中的同胞」，唯一不同的是我們說「朱毛匪幫」，他們說「蔣匪幫」。雙方用同樣的語言在色厲內荏。日子流過，時代環境潮流都在變，但仍然有些「中流砥柱」處於萬變而不驚。好比說，大陸這次洪水成災，台灣一方面大張旗鼓募捐救災，一方面不忘提醒「天災總是由於人禍而起」，趁機宣揚一下大陸的水利工程不善及人謀不臧。語氣之鄭重凜然，好像忘記一個多月前台灣自己走過的人禍天災——或者，是不是正因為台灣的經驗，加倍地一口咬定大陸的天怒人怨？

羅倫茲說，我們常站在猴子籠前面發笑，但不會一看到毛毛蟲或者蝸牛就笑。大灰鵝的求偶姿態可笑極了，是因為我們年輕人時興的那一套也差不多。羅倫茲一九五二年寫《所羅門王的指環》，書評家給他的大量讚美中少不了「人性」這個字眼。為什麼？書裡寫的畫的明明都是動物。是讚佩羅倫茲以人性出發去觀察動物，還是遺憾在動物身上我們看見了自己？

人類不大容易喜歡猴子，心驚於猴子太像我們自己。越是像人的猴子，我們嘲笑牠「沐猴而冠」，猴子怎麼也想人模人樣呢？於是我們色厲內荏地罵人，在自己最軟弱的地方最蠻橫，在別人最像自己的地方最不能忍耐，但誰敢說世界的邏輯該、永遠以人類自己為本位？換一個角度看，那實在可笑的，也許正是人類的「猴模猴樣」呢！

一九九一．七．二十三／聯合報／二五版／聯合副刊

不考試好不好

不考試，好不好？

「用膝蓋也想得出來」，教室裡老師如果問一聲「不考試好不好」，一定全班歡聲雷動，長長一聲「好」。

但我自己是上過這個當的。在國外念書的時候，一次老師讓我們自己選擇評定學期成績的方法：一是照常規課堂考試，二是考試的時候可以攜帶各式參考資料進場，三是題目帶回家寫報告。毫無異議大家都選三。結果老師出了一個題目，同學們悶在圖書館裡幾天不睡覺也寫不齊全。悔不當初莫過於此。

這也不算什麼「小故事大意義」。我要說的只是，做學生的怕考試成了定律，以為不考試一定最好。但實在「考不考沒關係」，老師總想得出方法定學生高下。考是苦；不考，也不見得輕鬆。

當然是日有所思才寫這個題目。教育部有廢除聯招的計畫，升高中部分有「國中畢業生自願升學方案」，升大學部分有大學入學考試中心正在策畫。提出「不聯考好不好」這個構想，教育部應該得到社會大眾長長一聲「好」的回答。但目前的各界反應，有些只敢「審慎樂觀」，有些幾乎是「嚴重關切」。好像我們的社會吝於掌聲。廢除聯招的構想，直接關係台灣的升學制度。教育部勇於邁步向前，一步一步著手國中教學正常化，聯考題目簡化，都是值得讚美的做法。但是，升學的「機關」錯綜複雜，實在不是一句「不考試好不好」就能減輕所有問題的。

不考試，不表示升學的路上暢通無阻。如果升學機會有限，學生必定要經過某種篩選方法才能進階——不用聯招來篩選，就要用其他方法。舉一個最簡單的例子：目前台灣地區大約六十五萬名的高中生當中，只有二十萬人在普通高中就讀，將近四十五萬名學生讀的是高職。高中和高職學生人數呈現這種懸殊比例，完全是政策規劃的結果，而非學生志願如此。現在正在實驗中的「國中畢業生自願升學方案」，如果全面實施，顯然學生的「自願」仍是要經過一番篩選分配，相當人數的學生還是會在不自願的情況下被分配進入高職就讀。

「自願」的弔詭正在於此。就像我早先的經驗：不考試，好；那麼換一個方法打成績吧，可不見得比較輕鬆。教育部問出「不考試好不好」這個問題，考怕了的學生很可能不假思索就「好」的。但其他的選擇是什麼？

台灣教育的基礎問題很多。所以有百病叢生的聯考制度，是因為精英式的高等教育機會有限，只好設計了這麼嚴酷的篩選方法。如今構思廢除聯招，是換了一種篩選方法——但窄門還是要擠的。與其換一道門擠，不如把門後的路加寬。毛高文部長說，改革台灣的升學制度，要先把各種「周邊設備」置好。這個想法非常切實。所以，別急著問「不考試好不好」，更別急著就答「好」。老師不是教過，做選擇題，要等看完全部的選項再作答！

一九九一．七．三十／聯合報／二五版／聯合副刊

沒有一朵雲需要國界

幾個月以前，我寫過這樣一篇文章，〈沒有一朵雲需要國界〉，寫的是王大空先生，因為讀了張繼高的文章有感而發。那篇文章沒有發表，因為大空先生當時仍在病中，不適合替他「論定」。

大空先生還是單飛而去了。這幾天報上讀到好多紀念他的文章，熟識他的朋友都想念他。爸爸是其中之一。爸爸和大空先生相識並且共事四十年，交情非同尋常，這幾天屢屢半夜裡和我打電話，回憶報館裡改稿時兩人如何的「英雄所見略同」，以及去年十一月大空生日晚宴後爸爸陪著去醫院驗血的痛心往事等等，傷痛之情難以自抑。我們眼中的爸爸做人嚴肅，做事嚴格，人生態度幾近古板，但他對大空先生的浪漫不羈竟然能夠欣賞了解。我默默無以安慰，忽然重新想起這句話，「沒有一朵雲需要國界」。在人生有情難以割捨的時候，這句話不知能不能幫助減去一些牽掛。我印象裡，〈沒有一朵雲需要國界〉是一首新詩，台灣的詩人為國際筆會開會而作。我喜歡這個句子，一直記在心裡。也是因為羨慕其中自由自在的意味，所以曾經想到用來描述大空先生。

今天再想，卻有別一番體會，不再只是藉題羨慕人的浪跡四方。雲沒有國界，看起來當然，其實有一個簡單的理由。雲不在人間控制範圍之內。如果能夠，只怕天上的雲也會被編入人為的管轄範圍——就像海域的劃分管轄一樣。所以曾經有人講過笑話：過去台灣有人想吃大陸的大閘蟹，得在蟹殼上寫上「投奔自由」四字，才能放行進入台灣。天生萬物本來皆有其自然行止，是人的庸人自擾，才有了界限劃分。人羨慕天上浮雲，是因為雲不落在人的手中；至於人自己，多半是陷在世俗不得脫身的。

人在世上，往橫向看，有家庭、有組織、有黨派、有國家，都是界限。縱向看，人的一生原本流水一般蔓延，也是在人為的界定下分出了階段。我幼年時候長髮直落腰際，升初中前夕一刀剪去，好像一日之間告別童年。往後一步一步踏入人生每個階段，在聯考、留學、婚姻、就業的關口，經歷了人生的分際。生命的河不停歇地流啊流，是我們自己設了一道一道柵欄，每過一關驚心一次，回首總覺得景物全非。其實兩岸風景何曾不同，千秋萬世靜佇笑看人間，是人自己心情不同，看出了不同境界，看出了不同山水。

所以說流水無情。至於人世的生離死別，不能割捨，也是人自定的界限吧。因為有界限，才有歸屬；有歸屬，就有牽掛；有牽掛，再不能自由自在無所求。只好說這就是人生。

但為什麼老是想起「沒有一朵雲需要國界」？雲終究不是世間物。灑脫如王大空，最後並不情願單飛。這這樣看來，說一說沒有一朵雲需要國界，只是聊以慰生者。雲的境界，雖然心嚮往之，只怕終不能至！

一九九一．八．六／聯合報／二五版／聯合副刊

一場遊戲一場夢

看閩獅漁案的曲折，就像看我們向來的大陸政策一樣，一直有幾個字眼在我心裡唱啊跳啊。一場遊戲一場夢。說是一場遊戲也不完全對，應該是好幾種遊戲。之一是討價還價遊戲。例如我說兩人你說五人，那麼四人好不好。人數依了你，那麼逗留天數要聽我的，這點不能再商量。

之二是文字遊戲。我是依法處理抓海盜，你怎麼說我誣良為盜。你想要來協商解決，我是讓你人道探視。你派來的人是不是官方？好吧，你說不是我就信，正如同我們的海基會也很「民間」（只剩下立法院有待繼續說服）。

遊戲之外，還有夢。但是夢就說來話長了——不綺麗，卻有些「天真昏悖」。

這期《九十年代》有一篇文章，談台灣的大陸情結，痛責台灣「不僅將中共的話當真到了戰戰兢兢的地步，甚至把中共從未說過的話強加給中共，而這些話卻往往與中共一直在說的話截然相反。」這位署名魯仲連的旅英華人作者說，中共的口號不管是和平統一還是武力犯台，其實目的一樣，都是造成以中國政權為主的統一。而台灣寄望或屢屢呼籲中共揚棄君臨意識，那是與虎謀皮，「天真到了昏悖」。

台灣今天的政治氣候下，很少聽見有人對「中共匪幫的陰謀」示警了。在民間，有一整批一整批的商人、觀光客、想家的、拍電影的、蒐骨董的、談交流的，想從大陸的豐沛人力和天然資源中獲利。這些人的利益，漸漸趨向於和維持穩定的中共政權的利益一致。所以有「以民逼官」之說，並不離譜。

而在常常扮演意見領袖角色的學者階層，統獨之爭可以到背離現實的地步。有人在台灣專門罵國民黨，到了大陸專門罵民進黨。有人在台灣言必稱台灣國，也有人在大陸言必稱中華民國。有人讀了人民日報一篇社論，就能引申預估大陸對台政策的未來新走向。也有人看待中共的言論或動作，向來是「嚴正呼籲」、「應該……才對」，循循善誘勸導回頭是岸。有一位記者描述，台灣的教授在大陸開會，聲嘶力竭的程度和他們意見在台灣社會的代表性並不相稱。我判斷這個記者不是無的放矢。

民間如此，政府的大陸政策自然高處不勝寒。先有國統會——陸委會——海基會的一條鞭決策模式，忽然又生出既在黨內卻高於一切的大陸工作指導小組來指導各方，使得人民永遠不知道是誰在根據什麼做了什麼決策。而到底是什麼決定又有什麼重要呢？總有一個國家統一綱領可以幫忙解釋。

看閩獅漁案，起訴的是唯一死刑的海盜罪，不起訴的就幫忙置新衣和離情依依。大陸一定要派記者跟來，陸委會不讓來，只好台灣的報業幫著邀請來。凡此種種，如果你說看不懂，正是因為這個案子和過去的兩岸糾紛一樣，有其讓人必然看不懂的邏輯。看不懂，也無須當真，難怪總讓我想起一場遊戲一場夢。

一九九一．八．十三／聯合報／二五版／聯合副刊

上下合節，首尾一致

如果你是專門從報紙新聞中去了解這個世界，你所認識的台灣面貌大概是這樣的：兩岸過招你來我往、立法院打架無日不有、府院之爭風波不斷、政商勾結有傳聞沒有證據、修憲制憲幾階段又幾機關、統獨之爭休兵還是開戰、國代選舉熱鬧滾滾、國統會陸委會海基會還有什麼會……如果你常常在大街小巷遊來蕩去四處觀望，你所認識的台灣面貌則是另外一個模樣：電動玩具像登革熱一樣八方散布、KTV通宵達旦笙歌不斷、機車攤販和垃圾聯手占據了全部道路；另一種聯手擴散則是茶藝館加手相八字和紫微斗數、連續劇國語夾台語才算時髦、對待計程車司機要比對待警察更加謙卑笑臉有禮貌、第四台的線剪不斷理還亂、非法趕走合法就像劣幣驅逐良幣……這兩幅圖畫看起來如此不同，說的可是同一個故事？主角可是同一個台灣？我們在學校教書的人，被稱作高級知識分子，常常受邀向各方「指教」，鐘鼎廟堂之中大放高言讜論。第一幅圖畫中的景象，我們再熟悉不過，開口便是分析解讀檢討前瞻，好像台灣前途總在筆墨與口水紛飛中便可決定。但另一方面，足踏同一塊垃圾遍地，頭頂同一片汙染灰天，言論莊嚴心懷天下之人，同樣可能經歷台北KTV的規模和茶藝館的花招，而被驚得目瞪口呆。台灣社會的「上層結構」和「下層結構」，看起來是沒有交集的兩個世界，難道中間真的毫無聯繫？我每次想，郝柏村不知道KTV和第四台是幹什麼，老百姓也不知道國統會和陸委會是幹什麼，但學者遊走「公眾空間」，總應該為兩幅圖像的「溝通」提出一點解釋。

說是互不相屬的兩個世界，其實還是存在著一些道理為之從中連貫的。在我看，這一類的道理有好幾條，有些從上而下，有些綿延交錯，總之呼應著頭尾。道理之一是不確定感的蔓延。不確定感，存在於兩岸關係，所以雙方過招以色厲掩飾內荏；存在於政治律制不明，所以總統府行政院不知道該叫什麼「體制」；存在於對國家前途沒有共識的老百姓之間，「未知國焉知己」，所以算命坐禪以退為進；存在於制度不公平帶來的前途無望心理，所以今朝有酒今朝醉。道理之二是鬥爭成為生存的手段。在政治層面，中央有府與院鬥，制衡有行政與立法鬥，政黨有國民黨與民進黨鬥，黨內有新國民黨與集思會鬥？又有美麗島與新潮流鬥，統與獨鬥，增額與資深鬥。風吹草偃，在民間有合法商店與攤販鬥？攤販與警察鬥，警察與民代關說鬥，新聞局與第四台鬥，第四台與合法影視業者鬥，當然還有三台連續劇為收視率鬥，學生為擠聯考窄門而鬥。上下交征鬥，生存力於是強焉。道理之三是利之所趨，見風轉舵。做官的選邊靠，做學者的選立場講話，做百姓的選利多時候進股市，做生意的要上下打點四方周全。也算上行下效。

黃仁宇說，「凡是一個國家必定要有一個高層機構和一個低層機構。當中的聯繫，有關宗教信仰、社會習慣，和經濟利害，統以法律貫穿之。總要做得上下合節，首尾一致；要是當中聯繫不應命，政局必不穩定。」看台灣的例子，上下的聯繫不以法律貫穿之，反倒有幾種心理狀態十分地「上下合節，首尾一致」。如此聯繫應命，也難怪，政局雖然說不上昌旺，倒也不絕如縷。

一九九一．八．二十／聯合報／二五版／聯合副刊

攔得溪聲日夜喧

「萬山不許一溪奔，攔得溪聲日夜喧。到得前頭山腳盡，堂堂溪水出前村。」這首詩出現在《雷震文集》每一本的刊首及刊尾，胡適題的字，說是「南宋大詩人楊萬里的桂源鋪絕句，我最愛讀，寫給儆寰老弟，祝他的六十五歲生日」。當時是民國五十年，書裡說是雷震在軍監度過的第一個生日，胡適送了這首詩，「作為寓意深長的賀禮」。

我常在不同的情境想起這首詩，生出不同的詮釋。這兩天，在熱鬧滾滾的蘇聯變局中，這首詩又反覆念在我心裡。

蘇聯政變之初，每個人都驚呆了，世事無常，連曲折來台的消息都顯得不那麼熱鬧起勁。第二天，我在香港，感受到的政治溫度不那麼高，但西方的資訊排山倒海而來，電視裡幾乎持續不斷的是國外新聞節目。再一天，氣象丕變，一早電視新聞裡評論政局的是完全不同的口氣，我簡直不相信發生了什麼事，愣愣地翻身去撿門下塞進來的英文報紙。出到街上，書報攤貼著戈巴契夫一張笑臉的新聞快報：「他回來了！」

再一次的世事無常，卻沒有負負得正的效果。這個世界和以往再不相同。

幾天的連續新聞節目中，我感受最深的是「人民」、「民主」這兩個名詞的大量出現。布希總統用「民主」解釋他對戈巴契夫的支持；新聞評論員用生動感人卻聽不出什麼深刻道理的語氣分析「人民最後一定會勝利」，紐約街頭的俄國人哽咽著說是戈巴契夫帶來了民主，連中共都含糊其詞地宣稱尊重蘇聯人民的決定。

「人民」、「民主」一類的字眼，成為無堅不摧的武器。在冷硬如坦克之前，澎湃如熱血之前，柔軟如眼淚之前，人民和民主儼然萬夫莫敵。

但是，也就是在這些字眼光鮮閃亮到教人無法直視之時，我忽然感覺到無法立足於行動的語言可能是多麼空虛。記者會中，一臉疲倦不耐煩的布希翻來覆去「民主」一詞，根本回答不了有關美國情報失誤的問題。紛紛發表後見之明的學者專家，先用「民主」解釋了蘇聯的政權離散和政變原因，又同樣用「民主」解釋了政變失敗。人民固然高喊人民，但中共政權不也曾高喊人民？甚至還以人民為由用坦克鎮壓了人民！

人民和民主，在語言上是響亮而容易上口的，於是政客紛紛喊來號召。台灣有民主進步黨，國民黨有黨內的民主改革，中共政權叫做人民共和國，號稱民主的戈巴契夫卻被救他一命的葉爾欽罵過獨裁。香港九月間將有第一次的立法局直選，每個候選人都聲嘶力竭喊民主，民主之上卻是一個早就由簽約決定的命運。問一聲「牛肉在哪裡」，丟一塊牛肉餅過來就算差強人意解答了問題。問一聲「民主在哪裡」，答案是不是隨風而去呢？

民主的觀念是吸引人的，但也因此使得民主的口號多麼危險，因為它可以像國王的新衣一樣，光亮耀眼其實空無一物。就因為民主一詞，布希給了戈巴契夫口惠而不實的援助，戈巴契夫給了人民理想但空洞的承諾。大家都忘記了，民主是要去實踐的，是要生根在教育之中，生根在制度之中。而在現實世界裡，民主卻只成了政客演講比賽的主題。

所以，讀楊萬里的詩，生出的是感慨不是開朗。耳聞溪聲日夜喧，彷彿柳暗花明在眼前，但苦難不盡的人世，不知什麼時候才得見溪水出前村的豁然景象！

一九九一．八．二十七／聯合報／二五版／聯合副刊

殺人鯨的叫聲有什麼道理

在香港電視上看一個影集，講殺人鯨。有通俗悅目的情節，例如介紹聖地牙哥海洋公園的鯨魚表演，凌空跳躍，還會在人臉上親一下，觀眾大樂。但也有十分學術而嚴肅的主題，好比說，殺人鯨的叫聲。

殺人鯨的叫聲有什麼道理？

殺人鯨是父母子女一家一家地群居。不同的家族，有不同的叫聲，不但為了彼此聯絡，也因此辨認身分。但除此之外，牠們的叫聲還蘊藏什麼意義？有人鍥而不捨想解開這個祕密。

在眾多研究者當中，有一對夫婦，帶著剛出生的兒子以海為家，鑽研這個題目。後來丈夫溺死，因為潛水器失靈。太太繼續研究，倒沒宣稱什麼「繼承夫業」的大道理，只說她自己喜歡。影片裡，孩子都從嬰兒長成學齡幼童了，媽媽的實驗室傍海而居。旁白說，殺人鯨的叫聲跟它們的行為之間究竟有什麼關聯，是很難解開的謎團，但研究者樂此不疲，「因為研究本身就是一項目的」。香港電視台的翻譯水準不錯，這句英文翻譯出來的中文字幕是，「為研究而研究」。

我看到這裡，有一點感動，倒不是為了丈夫死了而太太繼續的情節。「殺人鯨的叫聲有什麼道理」固然是一個問題，但更重要的另一個問題也許是，「研究殺人鯨的叫聲」有什麼道理？

為學術而學術，為研究而研究，是很容易說出口的道理。但這個道理在中國很少實踐過。今天的台灣，什麼事都講求「工具性價值」，意思是，什麼事都是工具，為的是通向一個實用的目標。例如上學是為了找工作，結婚是為了找精神和金錢的依靠。同樣的道理，學問通常有一個實用的目的，所以念國際關係的要回答蘇聯如果垮了怎麼辦，念社會學的要回答青少年犯罪率提高怎麼辦，科學家和文學家同樣服膺「學以致用」的邏輯。

學以致用是理所當然的，但如果「致用」成為學問唯一的目的，那麼為學問而學問的求真精神便黯然失色了。這個現象不完全肇因於台灣今日的商業重利主義，中國歷史上其來有自。科舉制度把求學作為通往仕途的工具，所以「書中自有黃金屋」不僅是一個比喻，而且在現實生活中制度化了。李約瑟早就感嘆，是這樣一種「學問為實用」的制度，扼殺了中國人純粹求知求真的精神，所以歷史上曾經的科學成果才慢慢褪色。

科舉廢止了，學問為實用的精神卻發揚光大，知識成為各式各樣其他目的的工具。大學教授要在電視上分析時局，小學生演講和作文比賽要重視「主題意識」，美術文學作品要擔負「教化」功能。沒有人相信知識本身就是一種目的。於是，誰有空問，殺人鯨的叫聲有什麼道理？

我們不知道鯨魚的叫聲有什麼道理。因為基本上，在這個社會裡，研究鯨魚的叫聲先就沒什麼道理——聯考不考，不能促進經濟發展，甚至幫不上國家統一目標。哎呀，台灣煩惱這樣多，難怪沒有討論空間容許殺人鯨。

但是，換一個角度想，越來越多人專注於更多金錢、更多權力、更多效率、更多科技，為什麼這個世界卻越來越烏煙瘴氣？天下本無事，何不留一點閒情給殺人鯨，聽一聽牠們的道理！

一九九一・九・十九／聯合報／二五版／聯合副刊

當習以為常

通常，對一件事情習以為常之後，就不容易生出新的感觸，習以為常應該是一種熟悉安適的感覺。但在某些少數例子裡，習以為常可能教人無奈，甚至隱隱有些不安，好比說，結婚久了，忘記愛情該怎麼說，於是「習慣了」也能作為一種自然而生的相守理由。這種「習慣」，有時比愛情更加無法抗拒。唯其如此，「習慣」反而叫人心驚，好像不知不覺中已無法脫身了。

我不會寫文章談情說愛的。這篇也不可能破例。我要談的其實是立法院的打架新聞，尤其是開議日的打架。這是老生常談的題目了。所以說是一種習慣。一般民眾大概不至於說是「期望」立法院打架，但至少「預期」兩個字可以用上。所以，九月二十四日的立法院打架，警察一字排開，扭打拉扯推撞叫罵，都不再有新鮮可言。

雖然不再有新鮮可言，但以「習以為常」看待打架這件事，正是教人心驚之處。什麼時候起，這些原本偏差的行為，成為我們社會中習以為常的一部分？

這類事情可能有幾種解釋，一是社會的規範在改變之中。好比說，男孩子留長髮、戴耳環，早先是社會裡的異類。今天仍有不少人看不順眼這種裝束，但我們漸漸能承認這是他們的權利了。又好比說，早先上街頭遊行抗議的不脫「蓄意滋事分子」，但當越來越多教授、專業人士、無殼蝸牛、社會運動成員都陸續走上街頭，我們終於承認並且理解，這些過去叫做偏差的，已成為新的社會規範的一部分。

但這些例子用來類比立法院的打架，是不通的。就算在家裡，兄弟姊妹之間這樣打鬧，也會受父母管教的。那麼，是什麼樣的因素，使得立法院的打架能夠重複上演？而民眾在皺眉失望之餘也就默默習以為常？

蛋頭教授們大有理論可來解釋這種現象。我們每個人口裡咒罵，以為這種打架千夫所指，但事實上，對這些所謂「體制外」的行為，社會裡存在著許多機制是在加以鼓勵的。好比說，鎂光燈的追逐、媒體造勢而成的英雄、執政黨非要在經過抗爭之後才做的讓步，都有推波助瀾的作用。不信的話，回首看一看台灣的所謂「政治民主化」過程，是不是充滿了「造反有理」的例子，是不是在民進黨「非法」成立之後，政府宣布解嚴和開放黨禁？是不是在中正紀念堂學生靜坐之後，開了國是會議和做成第一屆中央民代退職的大法官解釋？是不是在獨台會的案子震驚大學校園之後，懲治叛亂條例的惡法才算有了交代？是不是在「台灣加入聯合國宣達團」的活動之後，外交部快速在國際組織司之下改設「聯合國科」？

所以我說，孩子在家吵鬧都會挨打而下次不敢，立法院的打架卻能歷久彌堅，不會沒有道理。但想到這一層，立法院打架的習以為常卻引起我們另一種不安。不是像婚姻中的習慣「不知不覺中已無法脫身」，體制外的抗爭手段實實在在是由制度上的原因才養成，這引起我們追問以下幾個問題：（一）我們要讓體制外的抗爭繼續成為習慣嗎？或甚至成為新的社會規範嗎？如果不要，那麼，（二）「鼓勵」體制外抗爭的病源應該如何處理呢？

想起來心煩，不如以後就寫寫談情說愛的文章也罷。

一九九一．十．一／聯合報／二五版／聯合副刊

怎麼走到今天的！

好像通常在南非或者韓國才會發生的警民衝突中的嚴重傷亡的事件，好像通常以事不關己的態度觀看在國際新聞中才出現的畫面，今天活生生在台灣演出。很多人錯愕憤怒，很多人厲聲指責，而支持或反對核能的人忽然有了新的爭辯立場。我們要問的是：何以致之？台灣是怎麼走到今天這個地步的！

讓我們不要再從「戒嚴」、「解嚴」、「威權」、「宰制」這些字眼談起。台灣走到今天，有一個簡單的故事可以說。用最白話來表達就是，我們並不真正相信，在常態的社會體系中應該存在著表達或實踐異議的常設管道。我們被迫去相信或者期望，「和諧安定」才是正常。為了使意見一致，代價可以不惜，包括暴力。於是，多數人用多數暴力的方法，少數人用少數暴力的方法。總之，我們學不會和不同的意見相處。而不被當作刑事案件看待。學校裡，老師打壞學生，壞學生打弱小同學，被當作是風氣問題，稍一追究責任則師道尊嚴萬夫莫敵。議會裡，過去有多數表決，現在有少數打架，動輒你翻桌子我退席，你動拳頭我停掉質詢，把國會變成蠻橫處理不同意見的示範場所。而社會運動當中，你申請我不准，你圍堵我驅散，你有民眾示威我有聖旨強力執行，你有教授參加我就打教授，你有違規行為我就叫你是流氓抓起來。以暴制暴，我們的社會終於製造出暴民。

因為把不同的意見當作「異類」來處理，所以只要不同就有對抗。台灣學生在美國念書，常常不耐煩課堂上美國學生長篇大論各抒己見，我們覺得聽聽老師的統一解釋比較重要。政治上，永遠被強調的是萬民擁戴與和諧一致，寧可把衝突掩在底層等到火山爆發，也不願有常設的表達衝突的機制。美國教育部做了一個推廣節目，布希總統在小學教室裡的演講在電視上播放，沒想到立刻被民主黨指責為花納稅人的錢為布希連任鋪路。這種制衡，是民主制度常存的一部分。但在台灣一個核能電廠的例子裡，沒有多少人真正具備核能的常識，台電做的是「敦親睦鄰」的花拳繡腿功夫，結果一方非做不可，一方抵死對抗，終於造成悲劇。

再問一次台灣是怎麼走到今天的，答案在我們的日常生活裡。繼續有權威的政治和權威的教育，就繼續有以暴制暴的對抗。今天是昨天的結果，如果沒有反省，今天還會是明天的開端。台灣走到今天，我們打算期待怎麼樣的明天？

一九九一．十．八／聯合報／二五版／聯合副刊

列寧的腦子

最近看美國哥倫比亞電視台《六十分鐘》節目，有一段報導講列寧的腦子。在蘇聯KGB有一個神祕的十九號房間，裡面藏著列寧的腦子。沒錯，就是腦子。既不是指抽象的他的思想學說，也不是象徵性的頭顱塑像等等。具體而微就是那個在白色表面很多皺褶的人腦。而且不只是列寧，還有史達林的，和其他許多蘇聯「先聖先賢」的腦子，排排坐一樣井然有序地存在這十九號房間裡。

但這卻不是什麼「忠烈祠」。這些腦子一方面像菩薩一樣被供著保護著，一方面實實在在是實驗品被拿來切片研究。這間實驗室有六十七年歷史了，一個神聖的任務就是研究這些腦子，想找出他們異於常人之處。幾個科學家常年工作，不但勤勤懇懇，更重要是忠心耿耿。這麼多年工作下來，沒有任何突破的發現，他們仍然孜孜不倦，甚至訂了傑出今人例如沙卡洛夫的腦子，希望有一天探究出一點道理。

光是從電視螢光幕上，也可以讓人感覺出那種詭異的氣氛。一個蘇聯記者做的這段報導，他自己說感受五味雜陳。手捧著多少年來受膜拜的開國英雄的腦子，外面的世界卻天翻地覆幾乎換了朝代。更莫名不知所以的也許是那些科學家吧。他們以為終年追尋的是科學的真理，但支持這個工作唯一的邏輯只是信仰。信仰一旦動搖，他們的工作何以為繼？

結尾的時候，那個記者說，好像一個惡魔已經逝去，但受到他邪惡力量驅使的人仍然懵懂無知。這是後見之明了。在列寧的塑像倒下來之前，這麼多年他一直被奉為神聖。他的腦子靜靜躺在那裡，被切片，被放大鏡顯微鏡看，被這個那個穿白袍的博學又忠心的科學家研究分析。他們的工作幾十年來沒有改變。同樣一件事情，被稱作是神聖還是邪惡，只在歷史一夕之間，只在人的一念之間。

邪惡的（或者神聖的）豈是那個灰白色的腦子呢？人要堆砌功名，或者要把責任推諉給一個罪人，都是多麼簡單的事。但這無助於解釋今世的苦難。歷史走到今天，不是一個列寧，一個希特勒，一個毛澤東的個人的偶然造成的。是頑固的信仰，加上被縱容的武力、鞏固了一個制度，才造成這麼多生靈受難。這是歷史的必然，不能只用一個腦子來解釋。宣揚回教的時候，是一手拿《可蘭經》，另一手拿劍。屠殺猶太人的時候，是一手相信日耳曼人的優越，另一手擁有直驅歐洲心臟的強勢軍力。文化大革命的時候，是一手有除舊滅祖的盲目熱誠，另一手有毫無約束自然無往不利的蠻勢。有一天如果中國為台灣帶來災難，一定是一手民族主義，另一手天天叫囂不會干休的武力侵犯。如果台灣可能為台灣自己帶來災難呢？一定是一手比民族主義更狹隘的地域主義，另一手為達到目的可以不計代價的任何手段。

看到列寧的腦子躺在那裡，靜悄悄又孤伶伶，幾乎有點可憐。所有的榮耀都歸於它，然後忽然之間，所有的罪名也歸於它。人們選擇一個代罪羔羊，然後相信這樣就解釋了歷史，是不是就靠這個方法，我們於是在現世的苦難中忍耐下去。

一九九一．十．二十九／聯合報／二五版／聯合副刊

餐會故事

最近參加一個餐會，有以下見聞，願與有識者共饗。

這個餐會大致有三組人士參加。主客是美國一個報業團體，頭銜雖驚人，成員大部分來自銷售只有幾千份的小鎮報紙。他們剛剛訪問過中國大陸，在回美國的途中「路過貴寶地」停留一宿，立刻被奉為席上貴賓。

第二類是台灣的官方或半官方人員。「半官方」實在是一個奇怪的說法。但若不是這個名詞，你要用什麼來描述下列諸團體的身分：外貿協會、海基會、中央社、自由中國評論、孫逸仙文化中心、公共電視、三民主義統一中國大同盟……？第三類是「學者專家」。這個名詞大家耳熟能詳，普遍到了名過其實的地步。

席中，這三組人馬各自的代表性言論與動作如下。

美國客人：「中國，太奇妙了！我們每餐吃飯平均有二十道菜吧！」「我們吃整隻的雞。整隻，你知道我的意思吧？連頭都在。我吃飯的時候，覺得那隻雞頭一直盯著我。」「福爾摩沙，在一九九七年之後的前途如何？」（我想這位先生的問題只有一個問號，我心中的感受卻是？？？）「還有一道菜，聽說是鳥的口水築成的巢。你們中國有很多這種鳥的口水做的巢嗎？太有趣了！」「台灣有多少原住民呢？聽說原住民和外來客之間有一點衝突？」

官方和半官方人員：每一桌打招呼，每一個客人握手、拍肩膀、遞名片：「玩得怎麼樣？」「和你談話太高興了！」「鹽湖城？多有趣！我一九八六年去過那裡。」「我們在台灣的中華民國……」（這個稱呼是每句話和每段話的起頭。）「原住民？你知道，美國也有印第安人的。哈哈哈……」

學者專家：民主化，外匯存底，美國主要貿易夥伴之一，六年國建，經濟穩定，中華經濟共同體，共產主義的崩潰……

這樣的餐會，大概天天都有。地點可能是台北來來飯店（政府官員請客最方便的地點），可能是香港（台北和北京的「中途島」），可能是洛杉磯的蒙特利公園（置身其中分不清是台北是美國），可能是華府是紐約（我們最優秀的駐外人員成天舟車勞頓於唐人街和機場之間）。

一個餐會，也就是整個現實的縮影。你看那些美國人，他們印象最深刻和有關中國的最新知識，可能不出「鳥的口水做的巢」。但這種無知，並不妨礙他們成為中華民國政府官員必須去努力結交宣傳的對象。或者說，正是這種無知，證明我們過去文宣的失敗，也更證明我們未來加倍努力文宣的必要。

你看那些學者專家，幾乎是信仰堅定地歌頌著台灣的民主化和六年國建。你確知他們必定平時就勤於練習這套說詞，否則也不會受邀於這類餐會。

但我想最辛苦和值得致敬的還是官方和半官方人員了。他們須臾不離地說「在台灣的中華民國」。如果只說台灣，怕讓人誤會台灣是國。如果只說中華民國，怕讓大多數搞不清楚的人誤會成中華人民共和國。我有時想，統獨休兵，應該就停在「在台灣的中華民國」；有台灣有中華民國，可以皆大歡喜。但雙方都不讓。統派要的是「在中國的中華民國」，獨派要的是「在台灣的台灣國」，自然兜不攏。

該交集的不交集。沒有交集的硬要湊在一起吃一頓飯。這便是我的餐會故事。

一九九一．十一．九／聯合報／二五版／聯合副刊

走下神壇

最近讀一本書《走下神壇的毛澤東》，是毛澤東身邊的衛士長李銀橋口述而成。叫做「走下神壇」，因為書裡寫的盡是食衣住行家常瑣事，甚至有意側重在毛澤東的愛吃辣椒、看戲掉淚、便祕之苦等等私生活軼聞。不過正因為如此，在柴米油鹽之中將毛澤東格外神化了。

讀這本書，不能不想起蔣介石。倒不是因為書裡不時來一句「打倒蔣介石」以襯托毛澤東的堅苦卓絕。而是，在一般人印象中形象迥異的毛澤東與蔣介石兩人，被描述的個人特質竟有不少相似之處。例如兩人都是好學不倦書不離手，嚴以律己寬以待人，布衣粗食不改其樂，勤儉樸素吃苦耐勞，仁民愛物心懷天下，威嚴莊重不失仁慈。這些字眼，是我們從小學開始的教科書中就不斷出現以頌揚領袖的；有趣的是，毛澤東也被描述成這麼一種民胞物與的性格。我們不免要猜測，必須具備這些條件才能成為政治領袖嗎（也許是必要但不充分的條例）？或者，在中國的政治文化中，領袖正好都是這般性格？

不必認真去問答案了，反正一定犬儒得很。到了今天，這種個人高高位居神壇之上的情形是少多了，聖君賢相的威力一點一點在消失。總統請吃飯，會被國大代表掀桌子；行政院長答詢，會被立法委員指著鼻子大罵；立法院長被同僚打耳光；皇親國戚也有面對檢察官司法調查的時候；校園裡的偉人塑像被大學生戲弄；倒是象徵恥辱和受難的二二八紀念碑馬上要豎起來了。

神壇變成神話，變成笑話。夕陽暮色裡，聖君賢相漸去漸遠，一定令很多人感傷不已。中國人需要權威崇拜，以便有功德可歌頌，有過失可推諉，在災難中有所仰望。而今天這種局面，聖君不再，匪寇與聖賢的一線之隔也模糊了，倒教人無所適從。

其實仔細想一想，逝去的不是聖君風範，而是虛偽營造的神壇。毛澤東與蔣介石的功過，歷史終於要作出評斷。但在當今世人有限的視野中，正是學校教科書、官府文告，以及「走下神壇」這一類文件，塑造聖君所以為聖君。所以毛澤東與蔣介石二人，儘管人格作為可能不同，但以好學不倦、仁民愛物之類文詞來塑像的神壇基礎卻是一致的，所以才有這麼滑稽的神壇效果。

這樣說來，今天的台灣，神壇塌了倒是好事。到底有沒有聖君賢相也就無所謂了。

一九九一・十二・三／聯合報／二五版／聯合副刊

精神勝利

珍珠港事變五十周年，美國電視上一個一個新聞專輯，紀念當年的死難者，和那艘水底下靜靜躺了五十年的「亞利桑那號」軍艦。一個死者的家屬接受訪問，五十年以前的傷痛仍然刻在心裡。她說，官方宣布的是「傷亡率」，其實正確的講法就是「謀殺」。美國人對日本，簡直是新仇舊恨了。倒是日本人自己鼓譟起來，覺得美國該為了廣島丟原子彈而道歉。一時間你來我往吵吵嚷嚷，罪與罰的故事成了國際間的熱門討論。

這場討論中，既插不上手又無法事不關己的是中國人。中國人一直恨日本人。但正因為是一直，也就不特別感覺。講起南京大屠殺的時候才想起來咬牙切齒一下。或者釣魚台，或者對日貿易逆差。算一算，對日本人生氣的時候，恐怕還不如報上「日本能，為什麼我們不能」的口號出現的次數多。好像不聲不響也就接受「形勢比人強」了。

這次也是。美國和日本吵來吵去。中國人覺得也有分，從頭從九一八又開始恨一次。但怨怪日本人太無力感了，有人開始怪自己。「中國人為什麼這麼沒有歷史感」！巧合似的，天下雜誌做「發現台灣」專輯，談的也是台灣缺乏歷史感的問題。中國人的逆來順受，乃至今天台灣的身陷泥淖欲振乏力，難道都與一個「歷史感」有關？我們對五千年悠久歷史優美傳統的強調難道還嫌不夠？

最近讀劉再復和林崗合寫的《傳統與中國人》，有些發現雖然是老生常談，放在最近這些事件裡看也頗有意思。書裡有一章〈尋求解脫的代價〉，講魯迅提出的阿Q性格所凸顯的國民性問題。阿Q我們再熟不過了，他的性格魯迅概稱為「精神勝利法」，典型的例子是挨打之後自言自語「兒子打老子真不像話」以為解脫。劉再復和林崗說，精神勝利法不僅是個處理自己同外部世界關係時的一種精神現象，也是一種宇宙觀和人生觀。客觀事實不重要，主觀的認定和解釋就決定了人生態度；以此輕易解脫痛苦，也就不再正視現實。凡事都無所謂了。

我們大可拿阿Q性格在中國人對日本人的糾纏心結上面慷慨陳詞痛切反省一番。「這種阿Q性格」，我們如果皺起眉頭嚴詞自責一下，對於恨日本人為什麼恨得不夠徹底的內疚也許可以減少一些。但這種「阿Q循環」實在不是我想討論的重點。我心裡想的一個問題是，阿Q性格和中國人的歷史感（或者說「沒有歷史感」）有什麼關係？

在我看，中國人不是沒有歷史感。實在五千年悠久歷史優美文化念得太多了。問題出在，我們念的歷史也是過多主觀認定了，直到今天仍在鍥而不捨地用主觀認定來否定客觀事實。你看今天我們仍在說外蒙古是我國的領土，中華人民共和國不是一個主權國家，選舉的時候絕對公平公正沒有賄選發生，第四台是犯法的，好國民不應該鼓勵非法……，我們就每天如此快活蓬勃地活在「精神勝利」之中。歷史不是沒有，隨自己心？編故事就是了。

只不過，如果有一天不小心眼睛睜開，客觀事實排山倒海而來，是不是要得「歷史錯亂症」？昨天的歷史變成今天的笑話，今天的笑話變成昨天的歷史。中國人現實生活中的災難太多，無從負荷，只好在這種笑話歷史中求解脫了。

一九九一・十二・十／聯合報／二五版／聯合副刊

音樂陽光

十二月的香港，陽光暖和極了。已經裝飾起聖誕樹的校園裡，美國第七艦隊的樂隊在現場演奏。是中午時間，路過的和特別趕來的師生形形色色。穿西裝打領帶的，穿球鞋牛仔褲的，舔著冰淇淋的，手拉手的年輕男女學生，捧著書留著鬍子的嚴肅教授，都停下腳步享受一下陽光下的音樂，音樂裡的陽光。如果說醇酒之外還有什麼能醉人，大約就是此情此景吧。

但是我忍不住猜一猜此刻的台北正在忙什麼。剛剛才在餐廳和一位美國回來的教授朋友吃飯，他劈頭第一句問的就是「台灣現在怎麼樣」。台灣現在怎麼樣？正忙選舉吧。不知道會不會發生暴力。「台獨聯盟」會不會有什麼動作。省籍問題怎麼樣了。本來挺好的食物，在這樣的談話氣氛裡都黯然無味了。幸好出了餐廳陽光迎面。但也因為這樣，多麼好的陽光和音樂裡仍然想著台北。

台北是個被「政治咒」箍著頭的城市，活在其中須臾不離政治，而且久而不覺其臭。我有一次和一個香港朋友談報紙，香港的報紙，第一版通常是整頁廣告。報攤上一列十幾份報紙排開，放眼看去瞧不出名堂。就算翻開來，正像不久前聯副一篇文章說的，一份報紙，百來個專欄。看起來枝枝節節。所以我說不大喜歡看香港報紙。這個朋友卻笑了，說台灣報紙才不好看。「太政治化了。哪裡那麼多政治好談？」

我想一想，這話其實沒錯。在這個有陽光有音樂的日子裡想起來，特別覺得如此。台灣現在怎麼樣呢。翻一翻這兩天的報紙——張燦鍙闖關失敗。郝院長說要拯救社會人心。陶百川說大家來監督國會。連戰重申絕不能登台獨政見。鄭心雄去世引起國民黨將要人事異動。林洋港演講憲政改革是危機也是轉機。駐韓大使館賣不賣有問題。政黨競選錄影帶你刪我也刪。祝基瀅罵持外國護照的「假台灣人」。宋楚瑜說修憲才能滿足大眾需求。李潔明說的話代不代表美國政策？統獨激辯聽一聽嚴家其怎麼說吧！

政治新聞洪水一樣迎面撲來。像陽光像音樂，流動在空氣裡；你飄蕩其中，呼吸其中，睜開眼閉上眼都是，幾乎不得自由。一般人的柴米油鹽之中固然都感覺著政治，被使命感壓迫著的知識分子尤其不能脫身。我看見多少學術界的朋友，進了廚房沾了一身油腥一下了染缸再也不能出汙泥而不染。大家談起來，只能歎一口氣；一方面不忍，一方面不能不問：孰令致之？是這個政治生態真的如此險惡嗎？認真問答案，只覺得更加不堪。

校園裡有音樂，午後駐足享受一下陽光，這些不是奢求，台北一定也找得到。至於心情？潘越雲唱一首歌〈把心放下〉。想尋閒情逸致的人固然該聽，也許政壇上製造紛擾不休的袞袞諸公更該聆聽受教吧。

一九九一・十二・十七／聯合報／二五版／聯合副刊

展覽會之畫

〈序曲〉

展覽會之畫，俄國音樂家穆索爾斯基的鋼琴組曲，為紀念畫家哈特曼的展覽會而作，十段曲子以十幅畫的標題命名。

〈1〉

聖誕節過後，冰冷的空氣裡洋溢著歡樂的節慶氣氛，街樹叮叮噹噹裹著滿身五彩燈飾。紐約現代藝術博物館裡，購票等著進場的人群排成長龍，摩肩擦踵差不多像梅西百貨公司裡那麼人擠人。處處充滿誘惑的紐約，有洛克斐勒廣場又有第五大道和中央公園的紐約，為什麼那麼多人來逛博物館？

〈2〉

如果不能回答「為什麼」，先來看看「是什麼」吧！是藝術家嗎？是附庸風雅之輩嗎？事實上什麼都有。穿得好邋遢的有點像藝術家，但也有金髮披著貂皮大衣的。一本正經拿著素描本的一定是個學生，另一個一本正經的看來像是毫無情趣的上班族。這麼冷天只穿著T恤真是神經病，一面痴痴看畫一面喃喃自語的那個恐怕是真的神經病。黃皮膚的，講德文的，坐輪椅的，老極了的，漂亮斯文的，狂野嚇人的，長得穿得都像瑪丹娜的……你不能想像世界上的人如此形形色色。你不能想像如此形形色色的人都愛看博物館。

〈3〉

如果說人形形色色，畫更加形形色色。你想不想看同一層樓裡有米羅、畢卡索、馬諦斯？還有橫跨三面牆一大幅莫內的睡蓮。

〈4〉

但如果就是米羅、畢卡索、馬諦斯、莫內，和其他首都城市的主要美術館又有什麼不同？叫做「現代藝術」，當然還要包括雕塑、攝影、家具設計、影片，以及五花八門的媒體所呈現的作品。

〈5〉

建築師也在這兒。正在展覽的是日本建築師安藤忠雄的作品，成品的照片和模型。最有趣的也許是他的手稿。如果你以為是規尺畫出來的精細又宏偉得讓人頭暈目眩的設計圖就錯了。大部分是鉛筆的草稿，畫在零零落落的紙片上。有幾張根本就是餐巾紙，還印著旅館的標籤。是吃飯時候隨手畫下來的嗎？

〈6〉

很多人帶著筆記本和素描本，一面看一面寫一面臨摹。

〈7〉

當然也不全是那麼認真嚴肅。室外的雕塑公園裡，有抽菸的，聊天的，推著嬰兒車的，大冷天裡穿著短衫嬉戲的孩子。藝術是生活，藝術在觀眾之中。

〈8〉

觀眾本身也是藝術。一個展覽場景，滿地堆著枯葉。走進走出的人群，把枯葉踢著踩著走成不同的形狀。有人玩得起勁，四下揮灑，好像藝術家即興表演。

〈9〉

也不都那麼好玩。另一個展覽場景，黑黑屋裡牆上影片是一個巨幅人頭，嘴巴一張合發出沒有意義的音調。單調呆板的聲音重複又重複。很多觀眾站在其中面面相覷。

〈10〉

但這正是這個展覽的意義。Dislocations，標題這麼說，「失序」。我們在哪兒？我們在做什麼？我們看待世界的角度，由我們所在的位置來決定。假如我們不站在今天的位置了，世界看起來會是什麼樣？假如我們頭下腳上倒著看？假如我們站在桌子上看？假如我們站在對方的立場看？假如我們不以中國人的立場看？

〈終曲〉

曼哈頓好精緻的一家日本館子裡，我和一個大陸朋友吃飯。好久不見，坐下來第一句話他問：「你看台灣這次選舉怎麼樣？」於是我們一本正經談。台獨、統一、國民黨、民進黨、共產黨、台灣、大陸、蘇聯（對不起，沒有了，現在是獨立國協）。談呀談，菜冷了，人激動了。我想換話題，談起紐約現代藝術館裡的形形色色。這個長住紐約的朋友聳聳肩說：「美國人好奇怪。」於是我們又回到統獨與中國人的前途。

我忽然想，中國人，好慘呀！先天下之憂而憂，我們都是范仲淹的信徒。能不能失序一下？能不能頭下腳上一下？

一九九二·一·七／聯合報／二五版／聯合副刊

當總統昏倒了

當然大家都知道有一個總統昏倒了。但總歸不是我們的總統。再怎麼轟動，也只是適於遠觀的一則國際新聞。

對美國人來說，當電視上一遍又一遍出現布希蒼白著臉從桌邊滑下去，芭芭拉手絞著餐巾不知如何是好，他們會怎麼樣感覺？怎麼樣想？

哥倫比亞廣播公司的新聞主播丹拉瑟一臉嚴肅地說，「那真是嚇人的景象！」問題是，丹拉瑟向來嚴肅，他的蹙眉繃臉都不比平常更厲害。而除了丹之外，幾乎所有的其他人都在忙著開玩笑。芭芭拉先開頭，假裝把責任推給美國駐日大使阿瑪科斯特，因為他們下午搭檔打網球慘敗。布希自己也開玩笑，真遺憾害得副總統奎爾又被大家消遣，至於奎爾老是被拿來開玩笑，已經不算是笑話了；好像例行公事。

布希昏倒那天半夜，我打開電視正好是CNN，一個座談，主題竟然是檢討美國新聞界對布希昏倒的新聞是否太過渲染。其中只有CNN駐白宮的記者一本正經，認為美國總統的權力非同小可，身體微恙也不可等閒視之。另外兩位來賓，一個是專欄作家，一個是南西雷根以前在白宮時候的祕書，都認為新聞界小題大作，甚至有意渲染新聞。「美國總統也只是一個普通人，新聞界不該把注意力都放在他一個人身上。華盛頓可報導的消息很多。」「這件事如果在媒體上反覆出現，會使它的重要性高過其實。」「總統現在在睡覺，我們再等幾小時他醒來就知道情形如何。難道還要把他叫起來量體溫嗎？」「至少有一點我們可以結論，總統感冒的病毒，可能是日本從美國進口的吧！」最後這個笑話好！

我關上電視，是夜裡一點，距離布希在東京晚宴裡昏倒不過五六個小時，事情還在亂糟糟進行之中，這些美國人，要不開玩笑，要不就新聞界拿自己開刀。好像總統昏倒的效果不過如此。

如果事情發生在台灣，猜猜會怎麼樣。

我想新聞媒體上首先會傳出一個「陰謀論」：大家忙著論斷到底是食物、醫生過失、中共陰謀，和憂勞國事這些因素當中的哪幾項造成了總統昏倒。電視新聞主播一定是悲悽莊重又力持鎮定的神情。黨政要員穿梭奔忙不息。民間則會有許多熱切感人的反應；總之不會像美國人那樣不把領袖當一回事。

中國人的領袖崇拜，在政治文化中根深柢固。莫說是天子時代，莫說是民國以後很久依舊的家天下時代，領袖權威仰之彌高，到今天仍隨處可見。李登輝總統下班後散散步回家，沿途民眾喧騰，且驚且喜不敢置信；報紙則大作元首如何平易近人的文章。不久前李總統搭火車環島，新聞媒體又急著報導隨車服務小姐如何三生榮幸；總統隨口稱讚她們好像「兩朵花」，在其他社會可能被視為具有性別意味的字眼，此間被用作惹眼的新聞標題。

人民對政治領袖一日不失崇拜歌頌的心態，不要說拿領袖當平常人看待偶爾開開玩笑，民主政治中「人民有權監督政府」的基本概念一日無法建立。也許這是中國威權統治歷久彌堅的道理，在哪一地的華人社會皆然。我在香港工作的學校，前不久中共國務院港澳辦主任魯平來訪。學校裡戒備森嚴，許多電梯停開，有些地方繩子圍成禁區，有些地方師生出入被警衛喝斥攔阻。氣氛不像迎貴賓，倒似臨大敵。魯平赴港，所到之處多有港人抗議，青年學生手持「釋放民運分子」的布條彷彿血跡斑斑。但他在大學裡受的待遇倒格外鄭重。可與此比擬的是許多台灣學者赴北京朝聖之後儼然身價不同的姿態與言論。

中國歷來知識分子，少能倖免於晝夜顛簸匍匐進京；所以今日諸般怪現象，也許算是歷史的其來有自。

我常常想，台灣為了爭取民主，打架上街坐牢流血，付出的代價不小。但激烈的動作爭取來的一點點成果，往往在巨大的威權文化之下抵銷減弱。誠實地說，今日所謂民主轉型期間的種種熱鬧氣象，革命的手段多，民主的精神少。看一看國民黨在選舉時要不要黨內初選的反反覆覆，看一看總統出門一趟發言幾句引起的四方爭相表態阿諛唯恐不及，就知道民主離生根還早。但這些說得也太沉重了，我的感想不過由布希昏倒美國人開開玩笑而起。不過，再想一想，當總統昏倒了，誰說這不是測量政治文化的挺好一個指標！

一九九二・一・十五／聯合報／二五版／聯合副刊

金錢與塵埃

金錢當然不是罪惡。如果是的話，人們早就自動自發把金錢棄之如敝屣。但另一方面，我們又看見，想要角逐監察院副院長的林榮三必須嚴正宣告：「有錢不是罪惡。」剛剛當上地位崇高的立法院副院長的沈世雄則信誓旦旦說出「如果賄選天誅地滅」這樣的重話，而令人驚喜的所謂黨內民主卻招致輿論界欲言又止一片尷尬。這些事情發生在一個顯然不是潔白無瑕的背景之下。難免有人要問，「金錢不是罪惡」果真如此天理昭彰，那麼這些強烈表態所為何來？

人世間的至理名言，大凡有一個道理。越是需要言之諄諄的，多半為社會規範所需，卻背離人所不欲明言的本性。所以父母必須不厭其煩告誡子女，好比，吃得苦中苦方為人上人，以便對抗好逸惡勞的天性。社會則不時需要道德教訓暮鼓晨鐘，要人戒情欲貪念。越是必須高聲疾呼一日三省的，越顯得情況之岌岌可危。所以說中流砥柱：先有亂流方成砥柱。如果風平浪靜天清月明，哪裡用得著砥柱一方。

所以說，當每個人都極力撇清，「有錢不是罪惡」，「比財力連名都排不上」，「公布財產大家一起來」，「陽光法案此其時矣」，這實在是在凸顯整個社會如何籠罩在「金錢正是罪惡」的巨大陰影之下。金錢之為罪惡成為社會共知的祕密，所以更要用明文宣示來證明清白。

但這是怎麼回事呢？我們表示政府英明國家進步，一次一次用的是國民所得不斷增加的事實；沒有人能再用不屑金錢來表明清高。金錢成為「必要之惡」。問題是，金錢是不是必要？金錢是不是「惡」？

我們可以用兩個例子看一看金錢在台灣成為「必要之惡」的歷程。大約十年以前，財政部開始公開表揚優良納稅人。表揚的標準是根據納稅排名而定。所以表揚的納稅人實際是社會眼中的有錢人，但表揚的名目卻是「誠實納稅」。納稅的依據明明是所得，納稅多不多卻被拿來衡量誠實不誠實，好像用磅秤來量人的身高一樣。整個社會年年都要用誠實來恭喜財富一番。所以錢不只是錢，錢還是一種道德。最近，據報紙上說，民航局正研擬將這些優良納稅人列入機場通關的「特別禮遇」行列，享受政府部會首長的待遇。於是，錢不只是錢，錢還是權力，而且是特權。

金錢當然有功能，有很大一個金錢能夠發揮影響力的領域。但是在台灣社會，我們看見，金錢的作用可以超越金錢的領域，超越到幾乎像是無限大。錢是錢，錢是道德，錢是特權。錢可以買菜，買選票，買外交，買權位，買榮譽。更重要的是，這些買賣是制度化的。所以我們可以正襟危坐地說，政府絕對不容許賄選——因為絕對抓不到賄選的。

所以你說，金錢是不是必要之惡呢？金錢之為惡，正因為其必要，整個社會變成無錢不能行。但一旦錢成為必要，又給了我們足夠的理由來喧嚷「有錢不是罪惡」。所以你說金錢到底是不是罪惡呢？倒不如問明鏡台到底能不能不使惹塵埃！

一九九二・一・二十八／聯合報／二五版／聯合副刊

挫魚與坐禪

台北最近流行挫魚。我無從想像這是一種怎樣的玩法，只聽說殘忍極了。這種現象一定有某種意義吧，連司馬文武都拿它來和浮沉身不由己的麻木台灣政壇作了比喻。各方又忙著痛切反省，台灣怎麼這樣暴戾殘酷！還有各種奇怪的辯論，例如一方說，你又不是不吃魚，何嘗關切過魚痛不痛；另一方說，你又不是我，怎麼知道我吃魚的時候心痛不心痛。總之「莊子」極了。

還有一種極為流行的是坐禪，或者至少談一談坐禪。報上登著陳守山落淚哽咽的照片；靈隱寺像觀光勝地一般著名。有過坐禪經驗的人侃侃而談他們的「心路歷程」：如何地尋回自我，明心見性，「心靈的三溫暖」等等。

這些現象並排，讓人再一次問台灣是怎麼回事。有人殘暴，有人空虛，有人用暴力向外物發洩，有人像登「尋人啟事」一樣公開尋找失落的自己。這個城，這些人，一定是瘋了！

我也不知該如何看待這些現象（也許凡是看不懂的都可歸類為「後現代的資本主義文

明」來解釋），但有一個感想長時期以來在心裡。每個人活在世上，日出而作日入而息，日常生活的工作中獲得「內在」和「外在」的報酬。內在報酬指的是出於工作本身而使人獲得的快樂、滿足、成就感、自我實現；外在報酬指的是附於工作之外的金錢酬勞和社會地位等等。內在和外在報酬都重要，但顯然內在報酬的價值持久堅定得多。

今天的台灣，不管做什麼工作，有什麼志業，乃至於活著這件事本身，好像很少人能從日常生活的內在意義中獲得滿足；但外在報酬卻又時常隨著社會評價而改變，於是每個人追趕不及似的尋求時時改變著的社會肯定和虛榮。例如教書可以是一件作育英才、教學相長、為學問而學問的工作，但社會認定的知名學者是常常座談演講上電視的學者，於是每個教授張口都要談修憲、環保、社會福利、六年國建，及金融自由化。民意代表可以為民喉舌、制衡行政，但報上和螢光幕上的最是英雄，於是立法委員在鎂光燈下無不張牙舞爪。新聞記者可以挖掘真相、傳達民意、監督政府，但今天新聞事業變成「製造修理業」，三家電視台在同一時段同時宣稱收視第一。文學可以「載道」，可以刻畫人生引起共鳴，但今天的作家由各個書店和報刊的排行榜定奪成功，許多作家爭相把放大照片放在書頁上、書店櫥窗裡展示。鮮有一件事情存在是因為它的內在意義；鮮有人活著勇於追求他心裡篤信的一個堅定不移的價值。

所以你說挫魚殘忍，魚痛不痛其實是另一個問題。重要的是，人和魚的遊戲不再是修身養性，不是和自然搏鬥，甚至不是為了吃魚。挫魚其實是另一種電動玩具，失落的人要找一個對象證明自己。至於坐禪，那麼多人趕時髦一般地去尋找失落的自己。陳守山說這一段經驗比三個勛章更有價值，可見勛章不過是身外之物；但身外之物豈只勛章。昆德拉說，當反媚俗成了風尚，反媚俗一樣媚俗。當眾人一起尋找自己，尋到了，小心另一個隨波逐流！

一九九二・二・二十五／聯合報／二五版／聯合副刊

知所行止

最近電視上看了早期的〇〇七電影《霹靂彈》。史恩康納萊那時真年輕，舉手投足乾淨俐落，而且一派溫文，毫無時下毛頭偶像明星裝模作樣一臉很「酷」的傻瓜樣子。我不大崇拜什麼人，想想史恩康納萊忽然十分羨慕，覺得大丈夫當如是也：年輕時候創造出一個不朽的〇〇七，老來禿頭就演《獵殺紅色十月》，甚至客串一下印第安那瓊斯的爸爸也能舉足輕重。有人也許以為我佩服史恩康納萊，演什麼像什麼。其實我羨慕他的是「是什麼做什麼」。用高深一點的話來說，「在其位謀其政」。不要看這句話耳熟能詳，有這樣自知之明能進能退的並不多見。很多人取笑我們的影視明星，老來一臉風霜，仍然圍上白圍巾手捧洋文書，演大學生談情說愛死去活來。大家不察覺的是，四、五十歲還在小兒女嬉戲作狀的，遠不止影視演員。戀戀不捨舊日英雄事蹟，恐怕是我們整個文化特色之一；而把這種特色發揮得淋漓盡致的，又非政壇莫屬。

中國人說一日為師終生為父。其實最最「一日即終生」的，還是做官。一日為官終生為官。做過部長次長的，退休去做國營事業的顧問董事長；做過院長將軍的，去做資政或國策顧問；更加老而彌堅的，就會成為國之「大老」。遇到制度不能解決的政治紛爭，總要由「大老」出面，才能求得國泰民安。其他例如黨官伴隨行政首長巡視地方，都屬於「不在其位而謀其政」的例子。所以像是澳洲前總理霍克辭去國會議員上電視主持節目的故事，不容易在中國發生。

人再怎樣老而不死，不過是「老賊」。歷史已經證明，老賊終將凋零。比較讓人擔心的是，因人而設計制度，又讓僵固的制度歷經春秋而長存。哲人其萎，制度卻渾然不覺時代在變潮流在變，那就真正遺害無窮了。例如最近因修憲方案而引起的許多爭議之中，不少人以國父的五權分立為「最高指導原則」，但在枝節上又作了許多從未聽聞而「因人制宜」的修改設計。五權分立，作為一種政治學說可以獨樹一幟；作為一種制度實驗，成果已經顯現。考試院是第四權，近來有考選部和人事行政局的爭執。汪彝定先生在回憶錄中談到人事制度的僵化，認為一種制度如果合適者二三而不合者七八，那就是制度的問題了。至於監察院，不但御史大夫的清廉形象蕩然無存，今天早已由社會公器成為個人光宗耀祖所私用。社會大眾對檢察權和準司法權的辯論茫然無知，對於總統擴權和連記法引起的超級賄選到底何者更可怕也不知所措。五權分立，有幸在政治現實當中實驗了那麼久，也該有所進退了。

一個人，從英雄少年變成大老，如果不在其位而謀其政，終於要被人喚作老賊。一個制度，如果單單因為偉人不朽而強使制度留存，那是以人舉言，不是抬舉反而是傷害了偉人。就像史恩康納萊，如果從年少到禿頭一路不放手○○七，則不但史恩康納萊本人不會以一個偉大的演員留名，○○七也不會成為人們記憶中的模範情報員了。所謂不朽，知所行止而已！

一九九二．三．三／聯合報／二五版／聯合副刊

圓謊與熟食之必要

張大春有一本《大說謊家》，我一直想寫一篇〈大圓謊家〉，記錄我所觀察到人類圓謊能力發展的過程。說謊是說謊，圓謊是使說謊看起來有道理；後者遠遠需要更高深的智慧和勇氣。例如戒嚴是維護全體人民生命財產之安全，解嚴是英明睿智不可抗拒的民主潮流。隱晦二二八是過去的陰影會傷害現在的團結和諧，大力炒作二二八是唯有正視過去才能展望未來。委任直選是唯其人人不懂正證明高瞻遠矚，忽然改弦易轍全民直選則是向來民意所趨不可逆流。顯然近月來坊間的圓謊技能又巨幅躍升，使我深感著手「大圓謊家」史實記載的時機已經成熟。

說謊或許出於偶然或不得已，圓謊卻已經發展成為生存所必要。我這句話的意思是，人類仍然意識到說謊是生活正道之外的出軌，所以學校和教堂仍在教導不可說謊。但萬一說謊了，人還是得在社會立足，於是便需要以圓謊來使說謊合理化。換句話說，圓謊是我們這個說謊人生的「正當性」的來源——這是我說圓謊成為生活所必須的意思。我是需要依賴公眾生存的人，越發感覺這種確係人生正當性的必要。所以例如人民選票所誕生的民意代表，或者萬眾所歸的政治領袖，沒有一個能免於發展出公眾之前滔滔不絕自圓其說的本領。

從偶然（生物學家叫做「突變」）出發的演變成生存競爭所必須，不適者將被淘汰，這是進化論的鐵律。

上星期聯副有一篇很有趣的文章，描述一群「生食者」的生活方式和哲學。鴻鴻用活生生的筆調寫這群生吃食物者的圖像——捧起帶皮的或腐爛的蔬果，席地而坐吃得湯汁淋漓。可以想像的必然還有嘖嘖有聲一片狼藉。

我們一定感覺，這簡直動物一樣。這些人想必不介意這種說法。因為據鴻鴻之描寫，他們自稱「本能者」，正是取法野獸依本能而生。

不管你看完這篇文章覺得羨慕也好厭惡也好，不管你說「簡直野獸一樣」是讚賞也好恥笑也好，生食者的經驗提醒我們一件事：人類這千萬年來辛辛苦苦的文明成果，正是為了遠離本能。人之異於禽獸者幾希，而這「幾希」正在於後天的文明營造。人如果依照動物的本能而活，應該餓了就吃，睏了就睡，發怒了就咆哮，害怕了就逃跑。但文明教化的結果，我們把忍飢耐餓叫做堅苦卓絕，懸梁刺股叫做自強不息，含冤忍辱叫做涵養深厚。反而是隨性情哭笑叫做瘋子，不顧禮節吃食叫沒修養，教室裡打瞌睡叫不守規矩，憋不住隨地吐痰大小便叫沒受過教育。這所謂修養、規矩、教育，都是使得我們遠離動物本能的工具。所以最最文明之人，是熟悉西餐桌上一大排刀叉玻璃杯使用順序的人，是能分辨烏魚子產地與葡萄酒釀造年分的人，是用常人望其項背不及的字彙與腔調發表優美演說的人。這樣的文明人是社會中的勝利者。

想一想，捧著帶皮的水果生吃亂啃，也足夠我們健康地活下去了。但今天社會的楷模和勝利者，卻必須繁文縟節反其道而行。這是因為我們被要求不只活著是一個「生物人」，還要是「社會人」，而這文明社會已經建立起一套不同於動物的規範守則。這些守則包括熟食，包括衣冠，包括道德規矩。所以罵人無恥，常說「衣冠禽獸」。其實禽獸有何無恥之處？貓狗隨地爭食撒尿交合，再自然不過。但人若衣冠之後再有禽獸行為，就要給罵得社會不容了。可見恥不恥的關鍵，不在禽獸，而在衣冠。

也就是說，人若依靠本能，也就動物一般活了。但若要在這個文明社會物競天擇，則衣冠和熟食就成為生存所必要。

但不管羨慕或厭惡，讚賞或恥笑，讀鴻鴻的故事不免心裡一動。它使我們想起人初始的單純狀態，人的自然本能。我甚至想起了很久以來不再聽人提起的良知良能之說：不學而知謂之良知，不學而能謂之良能。

良知良能，人天生具備，但在今天這個文明規則繁縟和競爭手段狡詐的社會，是不再適用了吧。想想看上流社會的食衣住行禮節，想想看政客滔滔不絕無懈可擊的圓謊所必須的勇氣和智慧，哪裡是樸素簡單的良知良能所能應付的呢！

鴻鴻文章的末尾寫了一則寓言，生食者成了社會的公敵。是不是，如果我寫〈大圓謊家〉，也要有一個不說謊的人來遭受同樣的結局！

一九九二・三・十／聯合報／二五版／聯合副刊

一百年也不變

「一百年也不變」，電視上，江澤民氣定神閒這樣說，而且連說兩遍，以顯示其堅定。他在人民大會堂接見新聘的香港事務顧問，談起經濟改革方針和一國兩制政策，「一百年也不變」。而這些港事顧問也以天真的信心回報，接受記者訪問時都說，對香港的前途感到放心多了。

不知專門是中國人如此，或者政壇之中舉世皆然，談起沒有實質意義的空話，人人行禮如儀鄭重其事，看見江澤民一派篤定對他個人絲毫無能為力的事許諾，而聽眾唯唯諾諾堅信不移，讓人不禁懷疑，是不是政治使人智商減低而性情天真。

一百年，於個人太長，於國家很短，在歷史中則不過是一瞬間。一百年之後，國家人民還在；但江澤民一定不在了，中共這一代和下一代的領導人不在了，多半整個共產黨都不在了。我們甚至無須等待那麼久去驗證「一百年也不變」的政策到底會在什麼時候就變了。大陸人民早就用嘲諷而了然於心的態度看待共產黨的動作：「黨的領導像太陽，照到哪裡哪裡亮；黨的政策像月亮，初一十五不一樣。」所以，「一百年也不變」，好像是一種雙方皆心知肚明其為謊言的默契下發展出來的承諾。恐怕不比男女之間海枯石爛的誓言更具效力。

我們看江澤民實在可笑，對一人一時的政策作百年的承諾。但如果看看現時國民黨的修憲手段，設計百年制度卻可以完全無所謂承諾，則已非「可笑」所能形容。憲法是國家根本大法，沒有人比我們學養俱佳（也是唱做俱佳）的修憲小組對這句話更加振振有辭。不要說例如美國憲法屹立兩百年，到今天美國國民琅琅上口自己的「憲法權利」，就算是我們這部處處受臨時條款箝制的中華民國憲法，制訂通過到今天將近半世紀。半世紀以前的人多半不知何去了，今人卻仍活在這部憲法之下。說憲法的影響「一百年也不變」，倒不算誇張。

這樣一部影響國家長治久安的根本大法，修訂過程中，先有非驢非馬眾人皆不知其然的委任直選的設計，又忽然生出「民意如流水」之說。民意果真向東又向西，恐怕比起月亮的「初一十五不一樣」更加變幻快速。為鞏固個人權力，如此操縱假借民意，翻雲覆雨自圓其說，還要強加諸影響百年的憲法。所以我說不可以「可笑」來形容。民初曹錕賄選事件，有一批人在歷史中永遠以「豬仔議員」留名；今天與之相比，有什麼高明之處？有什麼自以為能逃過歷史裁判的理由？可憐這一批舍我其誰奮不顧身的新興「表決部隊」，不是天生猥瑣之人，卻要當著人民之前吞下個人尊嚴與誠信，也算是盡忠職守為黨犧牲了！

一百年也不變？個人可以不計今世毀譽，國家人民卻可能遭受個人一時弄權的百年遺害。午夜清明之時讓我們捫心自問，什麼東西真正能留下來一百年也不變！

一九九二．三．十七／聯合報／二五版／聯合副刊

道同勢不同

我看看忙碌的豬狗，嘴臉都還是原來的樣子，不覺笑了，說：「山中方七日，學校已千年。我還以為過了多少日子呢。」

——阿城，〈孩子王〉

有些事件，剛興起便有燎原之勢，浩浩蕩蕩不可收拾。我自己常常想起的是民國七十五、六年間的「大家樂」，最盛時期全台三百六十五個鄉鎮區當中的百分之八十八被判定為「中度」或「非常」流行。應運而生的從荒山到市集的小廟如雨後春筍，配合著滿街「賭博害人害己」的政府宣傳布條，景象十分奇異。當時行政院研考會還為此成立研究小組，我忝列「專家學者」，跟著翻洋文書找可套用的理論術語，帶研究生做訪談等等瞎忙一陣。這部研究報告的下場跟「存查」差不多。事過境遷，回頭看看，大家樂是台灣金錢遊戲波濤的一個小小浪頭而已，只不過娛樂和「社區」的性質強一些。後浪推前浪的還有股票、房地產、地下投資公司等等。說起來這是台灣整個「經濟奇蹟」的一部分，看慣了奇蹟，也就不再有可驚之處。

政治事件也是如此。我們的政壇人物，時時有驚人之言之舉，事關社稷，總引起四民驚慌。知識分子承襲歷史交下的使命，尤其充滿不忍置身事外的熱情，成篇累牘是自信足以振興衰微的議論。但如果視野拉遠一點再看，事事皆有前因後果，沒有什麼事是真正「從天上掉下來」那麼突兀而生，也沒有什麼事是真正一人一言便興邦喪邦。今天國代打的架，是立委打過的架；國民黨的新招，是民進黨的老套；被狼狽轟下主席台的人，是掀過總統請客桌子的人。每一次血脈僨張，卻沒有什麼太陽下的新鮮事。我初讀阿城的〈棋王〉，覺得唯一有些勉強的是王一生談起揀爛紙的老頭兒的那一大段話。雖說語氣緊湊密不漏風，但從「棋運不可悖，但每局的勢要自己造」，浩浩蕩蕩說到天下大勢如何地「雖看出點道兒，可不能究柢」，看阿城的意思是說世事「道同勢不同」，但道理太大了，他想強調的究竟在「道同」還是「勢不同」，卻看不出來。

一直到讀了〈孩子王〉，一個知青從生產隊調去教書，認真一場，回去看看，隊裡「忙碌的豬狗，嘴臉都還是原來的樣子」。他的理想終於沒完成，書教了一半又調回生產隊去了。但是，留下一本字典給一個認真的學生，算不算是「棋運不可悖」之中小小的一點有所為呢？我讀阿城，從不懂到還是不懂，卻不知道有沒有一點從「見山是山」走一圈回到「見山又是山」的心得。

也許世事確實如此，道同勢不同，但人的一生多半仍在勉力而為。有些人逆道而行，是不察覺自己的侷限。但也有人不是不洞悉天道人情，仍舊知其不可而為，那就只好背負沉重的心境孤獨一生了。阿城寫雞鴨豬狗齊聚爭食那一段，語氣十分輕快，也是一種幸福人生。所以說，日子要不要輕鬆過，也在自己的選擇吧。

一九九二・三・三十一／聯合報／二五版／聯合副刊

一個不僅是距離遠近的問題

這半年多以來，工作在香港，家人在台北，兩地之間跑來跑去。親朋好友談起此事，多半用一句「反正香港很近」來總結他們千言萬語的感想。我親身領會，自有一番不同於他人泛泛同情的心得。

香港距離台灣到底有多近（或者多遠），標準答案原本應該用「飛機一個多鐘頭就到了」來回答。但事實又遠比這複雜許多。我最強烈的感受，倒不是由飛來飛去而生。台灣香港地理位置之接近，每天都可從電視上體會一回。新聞之後的氣象報告，香港的天氣圖中都會出現台灣；也就是說，台灣和中國大陸南部沿海一帶，一起包括在香港的天氣圖中。每天至少一回，我從香港的電視中溫習台灣香港距離有多近的問題。

但老實說，距離這麼近，和「重要性」似乎不發生太大關聯。從香港的角度而言，台灣的重要性，除了每天電視氣象報告中驚鴻一瞥之外，所剩無幾。香港的報紙很少報導有關台灣的新聞，偶爾寥寥數語，多半在「中國」版出現。台灣熱鬧滾滾的統獨辯論、國大選舉、修憲爭議，香港人多半不在意。甚至我想探探校園裡香港同事的意見，也談不出究竟。台灣人看起來攸關存亡的大事，遠比不上台灣流行歌曲在香港的風行。

所以說，去年九月香港首次立法局直選，民主同盟相對於親中共候選人的勝利，國民黨海工會某大員自稱居中有功，被視為天大天大但又不值一評的笑話。台灣常常有一些空洞的口號，說要和中共競爭在香港的影響力。但對香港人來說，台灣和中共根本是不能相提並論的兩回事，簡直沒有比較可言。我們都不願意但又不能不承認的一回事是，香港已是中共的囊中之物。英國政府和中共在香港問題上打交道，很少占上風；中共國務院港澳辦主任魯平到香港，一舉一動被奉為上賓；中共「冊封」的四十多名港務顧問，港人雖然不喜甚至不屑，但他們在北京的禮遇下無不得意洋洋曲意承歡。不管一國兩制的保證如何言之鑿鑿，中共「蠶食」香港的事實是無由否認的。正因為相對於這些現象，最近傳出台灣支持的一家香港報紙可能要關閉的新聞，讓我十分感慨。我對這事有很複雜的兩面的情緒。老實說，台灣對香港輿論界的影響力，微乎其微，所支持的報紙乏人問津到了可有可無的地步，月月虧損真正是浪費公帑。但另一方面，這種現象其實是台灣向來不重視耕耘香港的果，如今被用作又一處退守香港的因。台灣常常用雙十國慶時香港某些地區一片青天白日滿地紅旗海的景象來吹噓「僑胞堅貞愛國」。想想看，香港本來就是逃避共產黨的難民經營而成，但港人的反共心態卻毫無台灣可以坐享其成的道理。

看見台北報紙的新聞，「針對海基會與海協會有關文書查證及間接掛號的第二階段會談，行政院大陸委員會計畫的會談地點最好是香港」，隨著台海兩岸接觸增加，「香港」一字掛在我們口頭的機會是急遽增多了。但這是不是表示香港與台灣的距離就更近了呢？我搭飛機兩地來來去去，答案卻日漸模糊。

一九九二・四・七／聯合報／二五版／聯合副刊

沒有了新聞之後

原本訂了國內報紙的海外版，到期忘了續訂，就停了。一下子沒有了台灣的新聞，清靜許多，簡直人都清爽起來。這才明白台北消息具有噪音及空氣汙染的雙重效果。但雖說清靜，到了該寫隨筆的時候卻惶惶悚悚沒有著落，好像不再能信任自己對平淡生活的感受，非在紛擾不休的事件中才能找到仗義直言的角落。察覺到為文的生涯必須依賴新聞，真是懊惱，覺得自己的景況比新聞記者還不如——別看記者無時無刻不在追逐新聞維生，真要沒有新聞事件，他們還能創作發明「製造修理」一番。有人說翻譯比創作難，因為少了自由想像的餘地。寫評論的如果只能依照經過挑選剪裁之後的新聞報導來發表意見，恐怕也有同樣的難處。

但蟄居海外，也不是真的沒有新聞，只不過時間和空間的距離拉得遠些。新聞在「新」字上受了限制，稍微易時易地，就完全失了應該的效果。好像演員出錯場，必定引來滿堂哄笑，原先精心設計的莊重或者悲傷完全支撐不下去了。例如聽說一家電視台最近要籌拍蔣夫人傳，我腦子裡立刻浮現出幾個婉約嫺淑女子穿著旗袍摺紗布的景象，如同今天的背景下聽見「反攻反攻反攻大陸去」的曲調，引人露出溫馨會意的微笑。又例如現在修憲過程的不同意見，有人強詞辯解此事，一派莊嚴拿出解嚴的事鄭重比喻。解嚴之後的百般折騰，到今天哪裡還剩下多少神聖性？就像民進黨如果今天還喊老賊老賊來討功勞，恐怕慷慨激昂卻只見口水紛飛，惹人一面笑一面躲。

但這樣說也不是在怪誰。只能說「身在此山中」自然有它的侷限，而驀然回首又是別一番心情。有一段時間我為報紙寫過社論，任何驚天動地的新聞也受「今日事今日畢」的規則的追趕，每天要為一件事證明它的重要性，要在一個題目上宣告出立場。那時的神來之筆，不過「我們嚴正呼籲」、「我們懇切期望」、「朝野兩黨正視這個值得省思的嚴肅課題」一類。但下筆當時的認真憂心卻也不是假裝的。

那麼，距離遠了，就不認真些了嗎？走出了「雲深不知處」，就清楚些了嗎？張愛玲說起她自己寫小說，「我想這是我的本分，把人生的來龍去脈看得很清楚。如果原先有憎惡的心，看明白之後，也只有哀矜。」張愛玲的筆多麼刻薄，但我想這不是性格，而是看得太清楚了，沒法裝糊塗。就算說起「哀矜」二字，也不讓人感覺到寬恕溫厚，而是預知結局那樣地為人的徒勞無功而歎息。我不寫小說的。但站得遠了，新聞也不過小說那般地似幻似真。一日這裡電視上播出郝柏村在國民大會「報告」的混亂場面，那麼多人桌上桌下又跳又叫，揮著拳頭吹著哨子，分不出國民黨民進黨，人人一般奮不顧身。這一批國代，為著修憲的使命而選出，格外地一時俊彥。其中好些學者，是我相識而素有往來的朋友。如果此時人在台北，一定陪陪他們一樣興奮得不知怎麼是好，一定對著他們插腰指著鼻子大罵好好一個人怎麼把自己弄成這樣。但究竟隔得遠了，「看明白之後，也只有哀矜」。

所以說，遠離了台北的新聞，真是清靜些。倒是憎惡變作哀矜，也可喜也可歎。

一九九二．四．十四／聯合報／二五版／聯合副刊

一個有關絲襪和政治的定理

記得看過一個作家寫，不明白女人為什麼要穿玻璃絲襪。絲襪廣告都宣稱，穿上輕盈貼身，感覺好像沒穿一樣，而且超薄透明，看起來最自然。若要完全符合這些條件，其實唯有不穿才對。但事實又非如此。女人動心忍性耐熱嫌煩，鮮有不穿絲襪之理。真要不穿，會被叫做不懂禮貌。

不穿不對；穿了卻又是為了像沒穿一樣。這是什麼邏輯？我想其間道理有兩層。第一，好的藝術品，經過大量做工卻要不見鑿痕。但這個道理太淺薄了。人生一場，多半不甘心船過水無痕。縱然沒有，也要使人記住這個沒有。所以，道理二：你若要說明一件事純為子虛烏有，就得八方蒐證百般推理以證明「沒有」的存在，否則無以服人。

簡單地說，「有」要經過「沒有」的辯證才能還原為「有」。做工要精巧不留痕跡；留下痕跡卻是為了證明沒有。我相信這兩層道理相輔相成，而且適用在政治無往不利。舉例來說，你本來不感覺生活中有省籍問題。但忽然每個政府官員都談省籍問題，而且大聲說沒有沒有沒有。一時間鑼鼓喧天，於是一個沒有的信息就傳送到每個人的耳邊。

又例如老百姓遠眺新版山中傳奇，不明白委任派和直選派之間存在什麼樣的合縱連橫。但一切明白存在的跡象卻都是為了說明，萬物乃無中生無：執政黨中央促兩派不要有動作；國大黨團書記長說一定不會有動作；有人說息兵，就有人說從未出兵何來息兵；有人說項莊舞劍，就有人說從未舞劍怎麼會是項莊。林林總總無非說明，本來無一物何處惹塵埃。

又例如各級選舉的賄選問題，凡是經過政府聲明絕不容許賄選，就絕對調查不出來賄選。凡是被懷疑而只好發誓如果賄選天打雷劈，多半就穩穩當選，因為經此傳聞已經證明了他們的潛能。直到最近因提案改變監委產生方式而引起的爭議，才迫使我們重新思考此事。檯面上的說法是，新的提案不會造成總統擴權，因為大公廓私皆為清除現行制度賄選之弊而改進；但選後無擴權，一派清白，皆由負負得正而來。

負負得正是我對人類迂迴思考及自我辯護方式的另一個觀察。我相信人性之初清明單純，看見一個事實就接受其為事實，看見一個正數就接受其為正數。複雜之後開始說謊；慢慢又更進步，說謊還加上巧飾，使謊言看起來亂真。數學上負負得正；人類日漸精進的智慧便相信生活中也是如此，更迂迴的人還懂得負負負負得正，甚至負負負負負負得正。發展到這個地步，如果有人一出手攤牌便是正，一定引起眾人驚惶措手不及，不敢相信世上還有如此簡單明瞭之事。我相信當今很多人努力的目標，是迂迴得正，而又消弭其間一切負數操縱過的痕跡。說起來這負負得正仍不脫離絲襪定理；穿上是為了像沒穿一樣。

你也許說人生清風明月，何須如此複雜。但也許這正是我們文化特質之一，很多事不得不曲折，其中道理非常人所易明。我最近重讀《萬曆十五年》，其中萬曆在父親隆慶皇帝死後即位的那一段，黃仁宇的描寫清淡而道盡這番玄機。皇太子當然生來就是為即位而準備，但涉及名位豈可如此青天白日。黃仁宇這樣描寫：

> 幾個月之後，隆慶皇帝龍馭上賓。這位剛剛九歲的皇太子，就穿著喪服接見了臣僚。按照傳統的「勸進」程式，全部官員以最懇切的辭藻請求皇太子即皇帝位。頭兩次的請求都被皇太子所拒絕，因為父皇剛剛駕崩，自己的哀慟無法節制，那裡有心情去想到個人名位？到第三次，他才以群臣所說的應當以社稷為重作為理由，勉如所請。這一番推辭和接受的過程，有條不紊，有如經過預習。

這一段過程，凡是中國人都能了然會意。直到現代中國，袁世凱還曾經照章「有如經過預習」。就算今天，縱然手段改良，其中的象徵意義卻是留存不可磨滅的。好比說，滿腹憂思欲為人知，唯其肺腑誠摯，不便明言又不得不言，只好抒懷於日記或筆記本中，再由身邊親近之人不經意為之洩露，眾口相傳終得明志於天下。這一番用心良苦，看來皆緣於傳統包袱的不得已，倒不必在個人身上計較是非了。

是啊是啊，這人世間的是，都須經過不是的試煉，就像正要經過負的試煉。絲襪定理在政治上的應用，讓我們對「穿了就像沒穿一樣」做出一題什麼樣的新的詮釋呢？我想廣告也沒有說謊。索性沒穿，不過沒穿而已，孤伶伶一派本色，但也光禿禿無莖可觀。但若動了心思真要誘人多看一眼，恐怕唯有藉著一穿，才能達成像是沒穿的效果。多少深意盡在不言中，正在於這樣一個表態啊！

一九九二・四・二十二／聯合報／二五版／聯合副刊

法律作為一種儀式

法律同宗教儀式聯合，即產生一個戲劇場面，且可達到那種與戲劇相同的快樂目的。

——沈從文，《新與舊》

沈從文在《新與舊》裡寫過早些時候湘西一帶一個特殊的習俗。當地劊子手這個行業，雖說是執行官務，仍然擔心殺人於天理不容。於是每次行刑之後，劊子手與縣太爺要到城隍廟裡演一齣「雙簧」，由縣太爺將劊子手殺人一事審訊一番，並且象徵性地加以刑責。「等到一切手續當著城隍爺面前辦理清楚後」，菩薩作證，才算交代完一個案子。沈從文從這個舊風俗出發，故事推演到民國以後。朝代變了，風俗變了，但人的思考邏輯沒有變。「新與舊」對比之下的諷刺於焉展開。

今天我們看這個故事，一定覺得無稽。在今人的理解裡，法律應該有公平客觀的標準，明察秋毫而且一視同仁，怎麼可以當作儀式一般地演練？簡直虛晃一招，欺人欺己。瞿同祖在《中國法律與中國社會》書裡說了，和西方比起來，中國古代的法律和宗教儀式制裁的關聯並不明顯，但為了補救法網的疏漏，有時藉宗教儀式為輔，目的都在維持社會秩序。

這樣說起來，法網恢恢疏而不漏不過是一個空洞的理想。社會秩序的維持，基本上仍在人心信仰。信仰法律也好，信仰鬼神也好，必要時法律與鬼神結合也好，也許中國從來不是一個真正的法治社會。法律的威嚇作用，不完全透過具體而微的執行，很大程度仍維繫於法律作為一種儀式的功能。

這樣談這個題目，把沈從文的小說解釋得未免枯燥無味，也不是我的用意。只不過觀察台灣社會，許多現象令人越來越無法理解。尤其法律的角色，似乎象徵大於實質，常常只不過像一個熱鬧的儀式。例如早先戒嚴時期，常有「戒嚴令只實施了百分之三」的說法，好像法令的存在只為虛張聲勢。

今天二屆國代修憲期間的種種吵嚷紛爭，再一次說明，法律僅僅作為一種儀式，可以多麼強大又多麼軟弱。多麼強大，因為憲法的象徵性意義如此莊嚴，可以假其名無所不為；多麼軟弱，因為莊嚴的修憲使命不過是一個假飾，最終只是私欲的工具。陽明山上的這一幕，實在讓我們不能不想起沈從文小說裡的城隍廟。轟轟烈烈一場儀式，程序上照章如儀，卻是欺人欺己。縣太爺和劊子手假法律之名欺騙神明，國代和黨官假修憲之名欺騙民主。但人人都藉此心安理得，因為正在修憲的事實像宗教鴉片一樣安撫了人民對民主改革的要求，法律的儀式功能發揮得淋漓盡致。

美國最近通過憲法第二十七條修正案，規定國會議員如果通過加薪法案，必須在改選之後的下一會期才能生效。憲法成為美國人民的真正信仰，其來有自。對我們來說，行憲紀念日年年被用來歡度聖誕假期。中華民國所謂的行憲，從臨時條款一步踏進今天這樣不忍卒睹的修憲，從頭至尾鬧劇一樁。但鬧劇又何妨？沈從文不是說，「法律同宗教儀式聯合，即產生一個戲劇場面，且可達到那種與戲劇相同的快樂目的」。國會議員所說的「很爽」，也就是這個意思吧？

一九九二・五・十二／聯合報／三九版／聯合副刊

面貌

常常有人寫文章對台灣表示失望洩氣。自私、貪婪、短視，還是逃離台灣吧。我也常忍不住罵人，自以為冷眼旁觀。但生氣實在是因為置身其中，置身其中又因此雲深不知處。直到有一回在飛機上遇見一個台灣旅客。以下有關他的描寫，完全出於我在一個半小時行程中對他的觀察。

這個人，年紀說不上來。臉上頗有些風霜，卻不完全是年齡造成的。頭髮鬈鬈的，是一個時髦但難看的髮型。衣著沒有什麼特殊，襯衫長褲，但身上裝扮另有引人注目之處。一個金光閃閃的手錶戴在右手腕，左手則是一條好寬的金鍊子，還有方方大大一個戒指。兩手的小指指甲特別長。我聽人談過為什麼專留小指的指甲，好像通常是算命的指點，為了改變運氣。

這個人顯然是極熟練的空中乘客，一坐定便四下環顧，開始半真半假埋怨和調戲空中小姐。例如「果汁怎麼現在才送來？我都快渴死了」，「怎麼沒有中文報紙？菸酒也不快點推出來賣」。飛機降落時又罵了一句「這個駕駛有夠爛」，附帶一長串有關飛行平穩的心得。以上這些話都是理直氣壯國台語夾雜大聲嚷出來的。我想那些外籍的空中小姐聽不懂，但看她們極有耐心的微笑的臉上閃過輕微的一絲皺眉，也許也不是完全不懂吧。

我沒有意思傾聽這個人的談話。但他側著身子和隔著走道另一排的乘客大聲交談，鄰近的人很難逃出他的聲浪。我初以為他們是舊識才如此熱絡，但好一陣之後又見兩個人互換名片，可能是一見如故？談的是這個人在大陸做生意的種種經驗。他的口頭禪是「把人打死」，例如三番兩次提到「拿出兩千塊人民幣就可以把人打死」。我聽聽才明白，他的「把人打死」是解決問題、為所欲為的意思，例如把拖延在碼頭的貨提出來，拿到一個什麼許可，攀交情走後門一類，都在「打死」之內，有趣的是，聽他吹噓自己如此橫行無阻，他對大陸人的印象卻很惡劣，比他曾經辛苦做過生意的其他地方的人都要壞。他甚至因此結論，還是不要三通比較好。「三通對個人是有好處啦，每個月至少省幾十萬。但對整個國家沒什麼好處。一開始三通，台灣馬上被大陸吃掉。我跟你打賭，三個月以內就被吃掉。」

這個人留給我的印象非常鮮明。我並不真切地記得他的五官，但不知為什麼，我覺得他展現的是百分之百今天台灣人民的面貌。我們在他身上可以輕易用上一長串負面的形容詞：自大、庸俗、狡猾、沒有格調、不懂禮貌、滿身銅臭等等。但再觀察一會兒又發現，他所有旁若無人的態度都是由於自信產生的。他的自信和有錢有關，這點顯然值得他理直氣壯；但也是自信而造成的目中無人，襯托出他的短淺。但短淺又如何？我猜他不介意這樣的評語，因為他精明到足以自保，又不把世界放在眼裡。

你問我喜不喜歡這個人，我當然不喜歡。但某種程度上我對他有一些敬意。他的令人不甚欣賞的內在和外在，都是自己辛苦賺來的。他是一個中國傳統阿Q精神和台灣現代「愛拚才會贏」的混合產物。我猜我不喜歡他還有一個原因：從他身上看見我們自己。而今天我們作為台灣人是一體的，誰也沒法逃避。這甚至不能歸咎於命運，因為情勢大半是人為的。好吧！我們可以不吝嗇地繼續批評他。然後呢？

一九九二・五・十九／聯合報／三九版／聯合副刊

剪刀石頭布

大概很少事情像電視一樣：幾乎每個人每天都看電視，但每個人都罵它。在普及與受人愛憎程度上能與電視比擬的，我能想起來的只有公車。但兩者還是不同。搭公車多半有些不得不的理由，看電視卻出於自願。搭公車頂多讓人「勞其筋骨」，電視卻把人洗腦。的確，這後一項因素，使得電視的影響力無遠弗屆。但所謂的電視無遠弗屆的影響力，根據許多專家學者的評論，在於使人「白痴化」而已。格外以電視「白痴化」功能著名的地區，包括日本、香港、台灣。說起來台灣只是一個跟隨者，亦步亦趨在日本之後。

也許正是白痴化的效果，台灣的電視不被當作認真的題目討論。人們談起電視只在茶餘飯後，焦點不出胡瓜和方季惟。雖然三家電視台存在本身被視為政府操縱傳播媒體的一個證據，這個控訴不能說是不嚴重了，但這種話題只在「異議分子」之間。一般人很難想像電視節目可能成為嚴肅的政治或社會議題。美國最近有幾則和電視有關的新聞，也許能提醒我們想想電視的影響力。

五月二十一日《紐約時報》的第一版，是一張電視劇的劇照，漂亮的女明星甘蒂絲柏根抱著一個嬰兒。她在電視劇《墨菲布朗》中飾演一個當了未婚媽媽的電視記者。甘蒂絲柏根足夠資格登在許多雜誌封面，但這次上了紐約時報一版，卻是由於副總統奎爾對《墨菲布朗》的批評。奎爾對洛杉磯種族暴動事件有感而發，認為美國社會的貧窮及種族問題，源於社會上「價值觀的貧乏」。他以《墨菲布朗》為例，說明未婚生子正是一個流行但不值得借鏡的現象。

奎爾大發議論而引起注目不是新鮮的事了。有趣的是美國朝野對這件事的反應。除了變成《紐約時報》的一版新聞，廣播談話節目整天對此事討論不休，「聽眾反應像湯瑪斯大法官事件一般」。布希總統含糊不清地說，「孩子應該誕生在父母雙全的家庭」，但「我不想對一個流行的電視節目深入討論」。白宮發言人費茲瓦特當然要替奎爾幫腔幾句，但對於墨菲懷孕生了而沒有墮胎的情節，「我們認為是很好的尊重生命的價值觀」。來自好萊塢對奎爾的反擊可想而知。當然，奎爾挨罵向來不足為奇。

《墨菲布朗》真應該覺得很榮幸，一個電視節目自總統以降每個人都大聲討論。在台灣，一件事若值得李登輝、李元簇、邱進益三人都開口辯論，大約不是修憲就是大陸政策。誰能想像國家元首操心電視節目？

但誰說國家元首一定比電視人物威嚴！在美國，過去哥倫比亞廣播公司的新聞主播華特康凱，多年來一直位居美國人民「最值得信賴的人」首位。最近，由於主持《今夜》節目三十年的強尼卡森退休，各式各樣的討論為卡森對美國社會的影響定位。有人說卡森縮影了美國社會三十年的變遷，他的影響已經「制度化」了，就像電視及美國國會一般。卡森聽了挺不高興地回答，「你要是沒提國會，我還能勉強同意你」。

看美國政治人物經常在傳播媒體上被修理得窘態百出，難怪有人結論媒體的第四權已凌駕在行政的第一權之上。台灣的例子卻多麼有趣。政府影響電視，電視「白痴化」人民，人民又據說是影響政府施政的國家真正的主人。這是不是一個剪刀石頭布的遊戲呢？

一九九二．五．二十七／聯合報／二五版／聯合副刊

「政府」

有人一定一看見這個題目就皺眉。我知道很多人——包括編輯和讀者——不喜歡我老談政治。一個朋友說：「你可以寫文章的，為什麼老談政治？弄得一身濁氣。」我同意。但一身濁氣豈是我所願？台北的政治氣候下，人人都是久入鮑魚之肆的犧牲者。其實我頂羨慕夏志清，談談廚房裡的義大利麵和生菜沙拉，行雲流水。尤其我也愛吃並且能做義大利麵，不像夏先生罐頭作料了事。如果在隨筆裡寫我的義大利麵食譜，每週一款，總能談上一兩個月。但不說也罷，現在還沒有心情。

所以還是回來談政治，並且談「政府」——充滿濁氣的政治題目裡最讓人皺眉的。但這次從一則笑話談起。好幾個月以來，我常常需要從中正機場搭台汽的中興號回台北。那麼大又漂亮的中正機場，出了接機處大門的各種候車處的設計卻只能形容為毫無設計。旅客稍微多一些，便混亂得不可思議，處處是渾然天成的鼓勵人插隊、推撞、叫罵的機會。有一回，正是那種天時地利人和之下的無可形容的混亂，天晚了，台汽的車半小時才一班，很多人等了兩班過去仍上不了車，終於有一個旅客大聲罵起來：「為什麼沒有多一點車？政府存那麼多錢幹什麼？留著反攻大陸嗎？」

四周的人全笑起來。大家在互相推撞和傳染不耐煩之中生出同舟共濟的心情。並且由於外匯存底有什麼用、捷運系統為什麼那麼慢等等令人頓生共鳴的話題，同舟共濟簡直變成同仇敵愾。當然那個共同的敵人是「政府」。台汽那個穿藍制服的收票員，很認真地指揮調度維持秩序，胖胖的圓臉上一直流下汗來。直到上了車，仍然有旅客七嘴八舌要他「向上面反映一下」。他有點忍辱負重地回答，「我只能說儘量啦」，一面聳起肩用袖子抹去臉上的汗，中文一遍英文一遍地向車上的中外旅客解釋和道歉。他的工作態度的確緩和了很多人的怒氣。我看著他穿的台汽的藍制服，心裡忽然想，這不也是「政府」？

中國人實在欠缺民主經驗。以往說皇帝和王法，今天用一個「政府」來通稱。除了巍巍峨峨的各級機關，我們的政府所屬事業實在太多。國家級的有中油中鋼中船等等，省級的有台汽台電台糖台鐵等等，另外還有理論上不屬於政府但實際上互通有無的「黨」級種種。人民的食衣住行無所不包；政府是名副其實的老大哥，也就是「永遠和人民站在一起」的真正含意。是因為這個緣故，以至於當巴士久等不來，人民會衝口而出怪到「政府」頭上。在民主國家，連巴士是否脫班都要歸功或歸咎於政府，實在是很難想像的事。但我們的政府如果要毫不謙讓地自稱「大有為」，只好把巴士的功過都一肩承擔下來。你難道沒看見，台北市街頭，市公車載著「台北市公車，天天有進步」的標語滿街跑，因而被人指責為政府公然說謊？可見政府難為，大有為的政府更難為！

在那個中正機場熱鬧非凡的晚上，在那群交相埋怨的憤怒旅客當中，我不確知大家心中那個幾乎成為共同敵人的「政府」到底指的是什麼。也許包括了李登輝和連戰，也許包括了那個任勞任怨穿藍制服的台汽員工。政府牽連之大，實在難以想像。所以你說，我如何才能自由，如何才能把心放下，閒閒談一談我心愛的義大利麵！

一九九二．六．二／聯合報／三九版／聯合副刊

書上沒講

一個朋友初為人父，我打話向他賀喜。從來不多話的人忽然喋喋不休，向我訴說他初生的兒子如何與眾不同的不乖。我沒有當過父母，但作聽眾的經驗足夠了，深知父母談起兒女，特別是語帶埋怨的時候，多半充滿無法言傳的得意。這個朋友繼續描述他的孩子使得夫妻二人齊心協力仍然難以對付的種種困難。「這些書上都沒講。」他這麼說了一句。我一時聽不明白，啊了一聲。他又強調一遍：「這些是很重要的事。書上講了這麼多別的，怎麼就是這點沒講！」我答不上話，十分不恭敬地哈哈大笑了一番。我猜這個朋友在準備作父母的期間，已經紙上練兵了許久。他目前的症狀，一言以蔽之叫做「新生父母焦慮症」，是歷久不衰的流行病，毫不希奇。但他連說了兩句「書上沒講」，倒引起我別一番感情。

中國人真是十分尊重知識，十分相信書本。我們從小就被教導要「敬惜字紙」。與其說是惜紙，恐怕重點仍在敬字；有字的紙不能拿來作不敬的用途。雖然也說「盡信書不如無書」，但從前的科舉和今天的聯考，使得很多人的命運繫於某些固定的書本。書本成為某些階層或人群之間的溝通語言。記得看過一個座談紀錄，談到我們這一代台灣人有許多類似的生活經驗，包括當學生時候用南一書局或北一書局的參考書。連參考書都能成為共同回憶的橋梁，可見得書本於我們生命的分量。

尊重書本，尊重知識，說起來舉世皆然，但我相信在中國人之間格外嚴重。士農工商，不是所有社會裡的職業階層都是按這樣順序排列的。我有一個澳洲同事，新拿到博士學位，剛開始在大學裡教書。她的先生不在學術界，但也有滿好的工作。一回我們談起現今一般人的教育程度與知識水準的問題。她忽然想起來樂不可支地說，她的先生拼字很差，在家裡留個便條也能錯字連篇。我當時張口結舌，失態得無法收拾。她倒不以為忤——不是不以我的失態為忤，而是不以她先生的錯處為忤。我後來終於相信她一直說過的澳洲人沒有職業與階級高下觀念的說法，也很羨慕她不把學識長短當一回事，有沒有都一樣輕鬆。

但中國人是無法如此等閒看待學問的。字紙要敬惜，讀書人要尊重。大家對書本有特別的期望。所以書中不但有黃金屋和顏如玉，書中還應該有小自帶孩子的道理，大至做道德完人的教訓。到現在，我在家如果做了什麼蠢事，我母親常常是瞪我一眼，很用力又慢慢地叫我一聲「教授」，用以表示她不敢置信的不滿意：怎麼做了教授還有這種差錯？我常常想要辯駁，教授只跟課堂裡教書有關，哪裡能保證言談舉止一切有禮有分。但既然頂著念過書的頭銜，這種辯駁的自由也是沒有的。

實在世間有很多事，書裡來不及講，或者講了也不見得對。帶孩子的種種瑣碎，固然書裡講不全；例如翟宗泉和魏耀乾的官司，書裡又如何能解釋清楚？可見書本有時窮。今天的台灣，讀書人不少，明白人不多。也許讀書和胸襟見識沒什麼關連？如果能這麼想，丟去不必要的書本，丟去不必要的身段，一定天下太平多了。至少省去許多庸人自擾。帶孩子也放心順手些吧。

一九九二・六・十三／聯合報／二五版／聯合副刊

雨過天青

連續幾天下雨，窗外嘩啦嘩啦水聲不停。一日在家做功課，抬頭之間，忽然覺得屋裡亮起來。向外望去，才發現雨不知道什麼時候停了，雲漸漸散去，露出大片光亮的天色。依然不斷的水聲是雨後山間暴漲的急湍。山丘給雨水洗過一遍，現出清清楚楚深深淺淺的各色青綠。躲雨之後的蟲鳥都出來了，不問東西大鳴大放一陣；間歇有幾隻鳥雀低低掠過海面。霧退到遠遠的山頭，天光水色青青朗朗。我在這景色中看得發愣，不知該怎麼形容，只覺得天地本色原該如此。想了好一會兒，忽然悟到，這就是「雨過天青」。

雨過天青，四個字在日常語言中用得爛熟。用這作題目編一齣戲，故事都有了固定的模式可料想。多半是情侶忽生嫌隙，曲折一番之後誤會冰釋，恩愛更勝從前。於是看戲的人跟著鬆了一口氣，「總算雨過天青了」。要不就是父子團圓、朋友和好。總之是經過磨難之後才能皆大歡喜。

因為總發生在這麼俗氣的劇情中，以致「雨過天青」的本來意思都模糊了，好像非是人世間的分合糾纏才叫雨過天青。其實雨過天青大可就字面，就是大雨之後的天晴，就是《儒林外史》中引起王冕畫荷的一番景致：「須臾，沉雲密布，一陣大雨過了。那黑雲邊上鑲著白雲，漸漸散去，透出一派日光來，照耀得滿湖通紅。」如此簡單明朗，不正是雨過天青？雨後放晴，格外耀眼。那是因為經過陰霾，使人忘記和風好日才是天地本色。換一個比方，就像在台北住久了，使人忘記天空可以是藍色的，開車行路可以守規守分。又好比看慣國會打架，忽然一日平安無事，便被讚譽為「議事進行出奇順利」。看慣政客嘴臉唯唯諾諾前倨後恭，忽然見人有為有守，便覺得事有蹊蹺不可輕信。陳履安遞上辭呈，記者前前後後追著逼問，辭職是否和參禪有關。陳部長說參禪使人生態度更加積極，辭職是為了建立制度。這些話平淡無奇，反而使人不敢置信。長期以來，政務官慣有的說詞是義無反顧似的「絕不戀棧」，「知所進退」，「最希望回學校教書」，結果這些心願鮮能實現。整個社會慷慨激昂慣了，雲淡風清倒讓人不知所措。其實慷慨激昂也是從無下文的。

司馬文武一回在《新新聞》上說，「那些不關心政治的人，有福了，他們不知道太關心政治的人，早晚會急死、悶死或氣死。」關心政治到急死悶死氣死的地步，實在不能視為正常。但我們整個社會的確以此為常態。每個人都號稱身陷歷史的使命，聲嘶力竭，不完成絕不罷休。相形之下，倒顯得不關心政治的人「有福了」。對於一心以天下為己任的時代俊彥，這真是絕大諷刺。人生在世，辛苦一場，才問所為何來，才發現自上枷鎖，才慨歎無為是幸福。這個雨過天青，得來多麼不易啊！

一九九二・六・二十三／聯合報／三九版／聯合副刊

薔薇與幽蘭

我們從小在教科書上讀到，國父說的，要做大事，不要做大官。這句話可以引申出各種道理。今天雖說「官不聊生」，但仍有不少人汲汲營營於此。不做大官，非不為也，實不能也。至於「做大事」，的確給人重大啟發。中國人，無不希望獨創天下自成格局，也就是「寧為雞首不為牛後」。做生意，要當總經理。做學者，要談修憲談統一。做記者作家，要獨樹一幟語出驚人。做官，要六年國建兩岸政策。紙，充滿各種偉言宏旨，好像人人肩負歷史使命，身繫民族興衰。「時代在考驗著我們，我們要創造時代」，真是抱負遠大的這一代台灣人民的寫照。

大志不能沒有，大事不能不做。但生活其實大部分仍是柴米油鹽。人生在世，除了「歷史使命」，並不是完全沒有別的事可做。但我們習慣了壯志凌雲，也許忘記了，俯拾之間也有天地。最近看電視上「國家地理」雜誌的影集，有兩個故事很有意思。一個講訓練海豚。科學家發現，海豚有某種程度的語言能力。他們用手語和海豚溝通，希望了解海豚對人類語法結構的領悟能力。這個過程很單調，每天重複同樣的手語動作，記錄海豚的反應。主持這個工作的科學家卻說，他覺得很興奮；對自然世界的了解多一些，便對人類自身的了解多一些。另一集故事講義大利的古畫修復。有些文藝復興時期留下來的作品，包括教堂裡的壁畫，歷年來迭經損毀修補，漸漸失去本來面目。現在有些專家開始從事為藝術品恢復本來面貌的工作，除去塵土汙垢和後人添加的裝飾油彩。這個工作極其繁瑣精密，尤其在壁畫上工作費時費力，有時一人一星期只能完成一吋見方的工作。有人在一幅畫上已經連續工作了八年。但當然是樂此不疲，否則不可能支撐這麼長久。我看了這兩個故事，心中只有感動。每天對著幾隻海豚打手語，或者站在高架上以一公分一公分的進度修畫，大概不被我們視為「豐功偉業」。但這些人戰戰兢兢是不鬆懈，認真看待工作本身的價值。人類文明的累積正是這樣來的，以國父的標準來說，也是「做大事」了。但真正令人羨慕的是，這些人也許根本不生做不做大事的念頭。工作本身自有意義；或者連「意義」與否都不需計較，工作本身自有樂趣。少讀聖賢教訓，也許連大志大事與大官之間的區別選擇的困擾都少一些。中國知識分子心中的千迴百轉，見山是山又不是山。其實山水自在，哪管你怎樣看它。

回頭看台灣，每個人都匆匆忙忙自命正在寫歷史。我們以為手執春秋之筆，其實春秋之筆終於會寫我們。今天的台灣會被寫成怎麼樣的一頁呢？政客學者夸夸其言自由民主修憲統一，結果滿街垃圾噪音塞車色情。「終日我灌溉著薔薇，卻讓幽蘭枯萎」。幽蘭枯萎了，誰

說薔薇一定怒放呢？

一九九二・六・三十／聯合報／三九版／聯合副刊

五四六四七四

七月四日是美國國慶。這幾天看美國電視新聞節目，圍繞著國慶日主題討論最多的，竟然是煙火安全問題。國慶日，美國照例各地放煙火，小孩放炮竹，完全是一個歡樂假期。但炮竹可能有殺傷力。於是電視上一遍一遍提醒煙火安全，一遍一遍放映炮竹炸裂西瓜的鏡頭，一遍一遍報導警方查獲地下炮竹工廠的故事。

放炮，中國人司空見慣，婚喪喜慶、開幕剪綵，沒有人因為放炮而被控告製造噪音垃圾汙染。過年時滿街炮竹亂竄，明明就是公共危險，但沒有人管制這種擾亂公共生活的事；縱然管制，可以料想，恐怕不會生效，一如攤販、垃圾、色情。但我所詫異的，並不只是美國人對炮竹如此一本正經，而是國慶日似乎沒有其他嚴肅題目可探討？中國人可不是如此，國慶日，一定要緬懷先賢先烈，拋頭顱灑熱血，縱然舉國歡騰，也要以「壯烈」為旨，展示壯大軍容，激勵民心士氣，去年雙十節，一場閱兵，管制半個台北，成本無可計算。但主事者一片讚揚之聲，認為振奮人心團結自強，收穫豐碩。相形之下，美國人的國慶日只知戶外烤肉，露天音樂會，最嚴肅不過炮竹安全，真教人不知如何褒貶。

因為七月四日，而想起一個月以前的六四。事實上，一進入六月，校園裡便氣氛肅穆，廣場上，時時播放天安門事件的錄影帶。六月三日晚上，校園裡有燭光晚會。我從辦公室窗口望出去，心情凝重無法工作，於是用「校園網路」寫信給一個流亡海外的大陸學者。四日當天，為了研究所招生而面試學生，忙了一整天，沒有思想也沒有情緒。到了晚上才忽然想起六四。這時從電腦上收到那位大陸朋友充滿哀痛之情的回信，竟木然無法反應。另一位同事後來也說起，六月四日他在大連，全市沒有任何一點和六四有關的氣息，以致他幾乎完全忘了這個日子，到睡覺前才忽然警醒。我們自認不是無情之人，但人的記憶竟然可以如此短暫，談起來不勝唏噓。

個人的記憶短暫又膚淺，但民族的記憶漫長又沉重。六四前後，報紙和電視上許多有關當初天安門廣場學生領袖的報導。他們多半在國外有了新生活。吾爾開希胖了，有人暗示柴玲有了外國的護花使者。很多人為此憤憤不平，好像只有犧牲才算英雄。當然這樣感覺不是沒有道理，因為這些民運人士的海外流亡是大陸許多人的犧牲救助換來的。但也是因為中國人一生都要背負這種承受不了的沉重，以至於民主運動永遠只能是一種道德的訴求呼喊，而不在程序上理性的實踐。

我的意思是說，對中國人而言，理想的生活寄望於道德發揮。為了國家而沒有個人；追求民主則有賴領袖英明個人犧牲。哥倫比亞大學的黎安友教授寫過一篇很有意思的文章，〈天安門和宇宙〉，認為天安門事件中所追求的民主，是中國式的精英運動，而非西方的程序民主。這個項目太大了，一時討論不完。但至少從國慶日活動的比較當中看出，兩個文化對個人生命財產安全的價值觀是非常不同的。這種不同也就是五四運動以來中國知識分子的爭論焦點之一。

五四過去七十多年了。六四也滿了三周年。個別事件終於會在個人記憶中淡忘，但民族的不幸要由整個民族一代一代承擔下去。倒是美國人在七月四日煞有介事談煙火安全，看在中國人眼裡，是一件永遠無法理解的怪事吧。

一九九二・七・七／聯合報／三一版／聯合副刊

反商？

近來台灣有「反商情結」，尤其因為國壽案而登峰造極。國內大財團，一方面登上世界富豪排行榜，一方面如過街老鼠喊冤不及，真是奇異現象。更可怪的是，台灣素來以賺錢花錢著稱，最近也並未聽聞興起什麼清廉簡樸的風氣。一個人人愛錢的社會，怎麼會是一個反商的社會？這真是一個有意思的題目。

今天這個時代，大可不必再用假道學的口氣把錢稱為「阿堵物」以示不屑。獨裁社會，一人一黨統治。資本主義社會，就是金錢統治——縱然有民主法治，也只是將金錢納於某些程序和規則之下運作而已。這個事實，我們不管引以為恥或為傲，都不能不承認。例如日本自民黨和大財團的緊密互利關係，公開為人皆知之外，還有檯面下更多不為人知的交易一件一件在揭發之中。在美國，運作多麼流暢的民主制度背後仍是強大的金錢力量。政治社會學者唐霍夫（G. W. Domhoff）一九六〇年代寫《誰統治美國》一書，八三年又寫《現在是誰統治美國》，清楚舉證占美國人口百分之零點五的企業精英階級，如何引導民意及左右國家政策。金錢之為用明顯可見。

在一個金錢為用的社會，因為對此一事實有所共識，反而能對金錢為用作出管理。例如美國的陽光法案，對於公務員和大眾之間的利益關係清楚界定，借用黃仁宇教授的話來說就是「在數目字上管理」。當然也有人為濫用苟且之事，例如布希總統對提供巨大政治獻金者作了過度酬庸，但立刻就受到社會嚴厲指責。

但這種情形在中國文化之下簡直行不通的。因為不管事實真相究竟，政府和政黨不可能承認與金錢「有染」。我們的政府，是每次都保證「辦一次乾淨的選舉」的政府。總統是「不花一塊錢就當選」的總統。執政黨是永遠和民眾在一起的政黨。反對黨是揭發不義追求民主進步的正義之黨。人人清白，自然不用無謂的規則來懷疑甚至約束「皇后的貞潔」。

人民眼前上演的政商關係當中，「政」是如此清白不可侵犯，「商」的黑暗卑鄙可想而知。其實就商人而言，凡事不過生意而已，能賺就賺，能買就買。但一個銅幣有正反兩面：能買的前提是有人出賣才行。台灣的政治現實之中，沒有什麼事是不能交易的。地方選舉有賄選，五院領袖的產生有各種汙穢傳聞，政策朝令夕改，司法受人質疑，政黨為財團護航，有人賣，有人買。從法令到政策，是可買，孰不可買？

所以我不相信台灣真正會有政商情結。商人將會變成社會的英雄楷模，因為他們展示了無堅不摧的金錢力量。但幫助他們變成英雄的是誰呢？國壽案當中，如果最終受利的是國泰集團，難道不是都委會「依法行事」所幫助造成的嗎？但依照前面的邏輯，政商關係的「政」是必然無辜的，黃大洲市長堅稱「單純」正是一例。所以由「商」來承擔社會指責，反正什麼指責也無損利益事實。反商和賺錢其實是並存的，因為反商轉移了政府的責任，使得政府的權力濫用能繼續保障商人賺錢。這是一個多麼巧妙的結合，不正像腐肉生蛆一般渾然天成嗎！

一九九二・七・十四／聯合報／四三版／聯合副刊

想起變色龍的夜裡

因為一件不得不辦的公事，只好在半夜十二點多進辦公室。從宿舍出來，如果照平常穿過停車場搭電梯，七八分鐘也就到了。但實在天太晚，還是沿著有路燈的大路上去安穩些。月明星稀，海潮和蟲鳴一陣近一陣遠，有點清風徐來，水波不興的味道，是一個美麗的夜。但我心裡掛著公事，只覺得辦公室好遠，一路走一路埋怨。

差不多十分鐘走到辦公室，十分鐘也就辦完事了，再出來，心情已大不相同，在空盪盪的校園裡踱步，竟然生出幾分閒情逸致。圓柱拖著長長的影子，空氣裡浮動著花香和蟲鳴，寧靜之中另有一番生命力若隱若現。遠遠打著光的一面牆上有東西在蠕動，我趨前些，才看出來是一隻五六吋長的大螳螂，通體青綠，高舉著鐮刀似的前臂，不知多少年沒看過螳螂了，乍一看彷彿舊識，只覺得親切，然後才看見，不知是不是因為有光，同一面牆上停著各式各樣的昆蟲，天牛、金龜子、飛蛾、蜘蛛等等。我看得讚歎不已，忽然想到，縱然沒有人，這世界也是十分豐富的。是人類自己，把世界弄成這樣一種固定的面貌。夜半清明，這個世界以它本來的面目對待我，竟然叫人心中震動敬畏不已。

在電視上看一個伍迪艾倫和米亞法蘿的片子，香港翻譯成《西力傳》，台灣不知是不是叫做《變色龍》？是一個荒誕的故事，伍迪艾倫一貫的冷眼嘲諷，講這個名叫西力的人，能隨周遭人物而變化，遇見醫生就變成醫生，遇見黑人就變成黑人，遇見胖子變成胖子，遇見法國人就說法文。據西力自己說，是為了融入環境以博取旁人歡心，才得了這種怪病。一時間西力成了名人，群醫束手無策，只有一個心理醫師不屈不撓，終於把西力治療成與常人無異，兩人還結了婚，「從此過著幸福快樂的日子」。

看伍迪艾倫覺得荒謬，其實同樣荒謬的正是現實人生，人類這個「族群」，創造並且沿襲著一套生活模式，人人身陷其中猶不自覺，已開發國家的模式，開發中國家亦步亦趨。上流社會的模式，廣大群眾亦步亦趨。瑪丹娜和麥可傑克森的模式，全世界的年輕人亦步亦趨，在台灣，就算政客的嘴臉，也有人緊緊追隨任意翻覆。這幾年新選出的中央民意代表，有些是我們曾經熟識的朋友，不管本來是文質彬彬的教授，或是仗義直言的專業工作者，一旦進入國會，立刻變得面目模糊氣息相通。本來理想主義的，立刻與現實妥協了。本來打擊特權的，立刻也自己享受特權了，人左搖右擺，政策朝令夕改，正是伍迪艾倫演的那個「變色龍」啊！

但更諷刺的是，變色龍人人望之側目，而心理醫師的百般治療，不過是為了糾正使與常人無異，過紅塵日子。人類自掘的巨大陷阱，真是無處可以脫身。

這也是為什麼，在那個安靜的夜裡，那個空無一人的偌大校園裡，我被白日所不曾見過的世界的另一個乾淨清明的面貌所感動，變色龍多麼狡猾，一定得意於自己逃生有術。人若成了變色龍，明明身不由己受人擺布，反而也能沾沾自喜。只不過，如果夜半醒來，看見一片清明的世界本色，毫無人工色彩，那時既不知自己何在，一定發愁不知該變成什麼才好！

一九九二．七．二十一／聯合報／三九版／聯合副刊

代言人

一個朋友常年住在海外，早就是美國人了。但每次到台灣，總說「回來」，儼然台灣是家。不過雖說回家，也不是踏踏實實倦鳥歸巢，看什麼都不順眼，開口總是批評。最近這次見面，他的抱怨更加慷慨激昂了：「台灣的生活品質怎麼惡化得這麼驚人？」交通堵塞，垃圾遍地，空氣汙染，奢侈頹廢。他說的全屬實情，我無力辯駁。這種默認一定助長了他的自信心和正義感，他繼續指著我的鼻子評論：「台灣變成這種樣子，你們都要負責。你們住在這裡的人，怎麼可能允許情況惡化到這種地步？你們每個人都要負責。」義正辭嚴不免趾高氣昂。但我哪裡是逆來順受的人？就算沒有個人的自尊心，也有群體的自尊心。於是跳起來罵回去：「我們負責，我們也住在這裡忍受。你不住在這裡，不繳台灣的稅，你根本不是台灣人。台灣的問題，不用你來批評！」罵完，他愕然，我愕然。兩人都閉口了好一陣說不出話來。

這個朋友起初的亢奮直言，是因為自認擊中了台灣要害；後來沉默，因為被我擊中了要害。但使得我也跟著沉默反省的，是自己的一番話裡惱羞成怒背後透露出的訊息。指責別人「不是台灣人」來阻擋批評，是最容易的攻擊。但是，把自己住在台灣「共患難」當作擋箭牌，是不是就叫做負責？更值得問的是，兩個人談話，為什麼會在「對台灣負責」這種題目上大作文章？想到這裡，台灣為什麼那麼擁擠髒亂倒變成次要的問題了。我想，中國人，不管住在台灣住在美國，都不脫做「代言人」的習性；每個人的言語行為都自詡代表著一大群人。這個毛病在知識分子之間固然特別明顯，讀聖賢書是要為天地立心，為生民立命，但整個文化既然是崇尚「大我」的文化，不管是不是知識分子都同樣背負著使命感而活。所以共產黨和國民黨並無二致地號稱是代表人民的政黨，卻造成了學者所評論的中國現代政治史上的「流氓政治」。日常生活當中，父母師長是代言人，民意代表是代言人，記者作家是代言人。偶像明星是青少年的代言人，僑領是華僑的代言人，有些教授是知識界的代言人。

代言人本來沒有什麼不對，總不可能凡事人人發言。但代言人享受著一種奇妙的身分：代言人通常和他所代表發言的人群隔離著，以便保持客觀超然的地位。海外的少數人，常常號稱代表台灣人的利益。台灣的少數人，號稱代表大陸十一億人民的利益。中國大陸的少數人，號稱代表全球華人及後代子孫的利益。語出驚人，才凸顯代言人的地位更加重要。但代言他人，終究事不關己，縱然生出同情也多半無關痛癢。就像我那個朋友隔岸觀火，姿態多麼奮勇也無濟於事。但反過來說，住在台灣的人，如果對這個大環境有過參與的態度，情況何至於如此不堪？代表台灣利益的人，多半有自己的安樂窩，關上門窗便是一個不受外界干擾的天地。是在自保之中才使得同情心格外旺盛。

我和朋友在共同的沉默中思索各自的心事。抬頭對望，互相對自己生出多一些的了解和對方多一些的原諒。這樣的沉默，是不是在告知著沒有答案？

一九九二．七．二十八／聯合報／二四版／聯合副刊

乘桴浮於海

讀到一則新聞，有關幾位政治學教授退休。退休對每個人有不同的意義，有人是工作的結束，有人是新生活的開始，總之是私人的事。但這幾位教授的同時退休，也許是經過記者的生花妙筆，顯得在當今政治環境中別有意義，「難免引發外界聯想」，「讓在場人士感慨良多」。他們有人對政局表示憂慮，有人有歸隱山林念頭，甚至有人考慮出家。「道不行，乘桴浮於海」的景象躍然公眾之前，感慨的又豈止一二當事人。

說起來，教授們不是孤單的一群。在台灣這個一年三百六十五天都是政治熱季的環境中，政治學尤其算是顯學。再沒有地方像台灣一樣，是一個活生生的社會實驗室，每天發生著各種光怪陸離的現象，讓學者八方找來各種理論參照或者推翻，甚至自由地把個人想法丟進這個實驗室，任它造成自己不必負責的反應。學者在學術實質生活上都應該是收穫不差的。最近才聽人提起一事，姓名確鑿的一位年輕教授的太太向人埋怨，每天光是替先生安排上電視訪問和參加座談會的活動，就忙得不可開交。談起這件事的教授朋友們，大家只能難為情又會心地笑笑。身為教授若自己未曾經歷這般「盛況」，固然有些難為情；但若完全落入這般寫照，多麼輕狂得意也不能不有一絲難為情吧。所以該怎麼評論呢？只能笑笑。

但我的用意不在反映有些學者專家的志得意滿。大家都在同一條船上，同一堆汙泥中打滾，誰也不能自認比別人清白些。我的文章中對周遭人事若有譏誚之意，未嘗不是出於對這個令人難以自拔的整體環境的失望。

這正是令人感慨油然而生之處。生機蓬勃的台灣，創造各種奇蹟的台灣，為什麼也是讓人想起「乘桴浮於海」的台灣？這幾年來，台灣的變化令人目不暇給，擊敗了一個又一個的發展理論。國際學術界討論台灣政治經濟發展的新書一本又一本出來。「經濟奇蹟」早就不是新鮮話題了，有關政治民主化的討論，一般評價也是不錯的。我知道這話聽起來像是官方宣傳，但過去兩三年間的幾項改革措施，確實在讓人不及回顧之間便如輕舟已過萬重山。最近讀美國政治學者杭廷頓的新書《第三波》，討論二十世紀晚期的全球民主化浪潮，其中台灣和其他地區的比較，讓我認真感覺到對自己這個社會不可妄自菲薄。

那麼，是什麼原因，讓我們置身其中的人，或者氣急敗壞地指責，或者意態闌珊地歎息「天下有道則見，無道則隱」？這個披著華美外袍的社會，有著什麼樣不足為外人道的內涵？就此刊出政治學教授退休新聞前一天報紙上，有行政部門決策及執行錯誤、立委「為權喉舌」人民不滿、修憲混亂導致審計權出問題的怪現象等等新聞，的確不像一個能帶來樂觀前景的政治環境。外人看台灣眼花撩亂，台灣人在眼花撩亂中又將如何自處？

孔子說乘桴浮於海，大家都知道。其實這些話的後半也很有意思。孔子說可以讓子路陪著去，「子路聞之喜」，反而被孔子說他，「好勇過我，無所是假設之意。孔子當時的心意，今人是沒法明白了。但縱然不知孔子，想起今天「乘桴浮於海」引起的共鳴，也許每個人有些各自「無所取材」的感慨啊！

一九九二・八・四／聯合報／三九版／聯合副刊

身在此山中

有一回，在國外，很多朋友吃飯，大家都醉得差不多了。之後又去卡拉ＯＫ，更是理直氣壯借酒裝瘋。每個人又唱又跳，花招百出，言行無狀而樂在其中。

我本來就喝得不那麼多，後來又要了參茶，忽然就醒了。醒和醉，旁人看起來是兩種狀態，在自己不過是兩種心情。醉的時候也許愁腸百轉也許喜怒雜陳。醒的時候高處不勝寒，只剩下孤單。片刻之前自己還跟著眾樂獨樂，醒了忽然就成了局外人，什麼都看得清楚，也就有了褒貶的能力。這個人嗓門太大，那個人歌唱得真難聽，還有些醉言醉語不堪評論。我簡直忘了，就在剛才，自己還在眾人之中。

那一刻間，我從醒又變成更醒地想到一件事。自己才偷跑五十步，驀然回首就景色全非。但置身其中的當事人的渾然自得，確實全無虛偽。身在此山中是多麼地雲深不知處啊！這些年，隨時隨地無法避開想到台灣的問題。不單是我，周遭的朋友都如此，開口談到「台灣」二字，好像便是一切問題的焦點。很少社會像台灣，凝聚了那麼強烈的自我關切。我在美國，回到舊時念書的住處，附近超級市場裡食物用品的擺設位置幾年間幾乎沒有什麼變化。但在台灣，動輒一步便是天翻地覆。和大陸往來，從仇敵一下變成親熱的貿易夥伴。回歸憲法，過去是自由派學者的激烈主張，匆匆之間已經落伍。選舉，什麼都還是官派，忽然連總統也要直選。政治熱鬧一場一場洪水猛獸般湧來。整個社會尚來不及自覺，輕舟已過萬重山。的確讓人頭暈目眩。就是因為頭暈目眩，置身其中的人都免不了酒醉般地亢奮。看政治鬥爭，像看電視連續劇似地專心投入。談起十八標，人人摩拳擦掌。赴大陸「交流」，朝聖一般地頂禮膜拜唯恐不及。學者一旦捲入派系，只有利益沒有真理。人人手舞足蹈，像是隨著魔鬼的音樂身不由己。

多少人心事重重，談起台灣現象不明所以。在成篇累牘的研究報告和茶餘飯後無數清談都不得要領之後，在那個酒後忽然醒來的夜裡，我終於想到，身在此山中，本來就雲深不知處。

「雲深不知處」，是一個事實狀態的描述，不一定有評斷的意思吧！這是人天生而來的侷限。這種侷限，是我們沉重無比的負擔——人生在世，由於這種侷限，大部分人無法自覺，終於不得自由。但昆德拉不是說了嗎？「最沉重的負擔壓得我們崩塌了，沉沒了，將我們釘在地上。……相反，完全沒有負擔，人變得比大氣還輕，會高高地飛起，離別大地亦即離別真實的生活。他將變得似真非真，運動和自由都毫無意義。」那麼我們將選擇什麼呢？

沉重還是輕鬆？昆德拉這樣問。多半人是無法回答的。局外人也許可以看清楚答案，但也因此注定孤單。所以有人獨醒，但大多數人寧願長醉。醒和醉之間，原來是在問我們如何自處。只怕，身在此山中，連這樣的選擇也無！

一九九二・八・十八／聯合報／三九版／聯合副刊

暮色之怨

黛玉的苦，到底來自何方呢？這就歸到了本題：為惜其石，為惜其人；其人不知（不肯）自惜，遂不得不千方百計代其人而惜之！這方是萬苦之源。

——周汝昌，〈重讀紅樓〉

住在台北，真是沒有辦法，不知晨昏晴雨。一來是生活型態固定，從早到晚忙一樣的事情，呼吸一樣的空氣。二來是都市景觀單調。放眼望去，不外密密麻麻的商店招牌，隔壁的公寓鐵窗，難看的灰色屋頂。反正人生如流水，無關春花秋月。

直到這一年在香港工作，傍水而居，我才重新有機會面對自然。海水和沙灘和山丘就在眼前。一樣的山水，四時面貌不同。晴天山坳樹影深淺有致，夜半繁星漁火相互輝映。我在這風景中，時時驚歎不已，看得久了，發現還是黃昏景色最令人敬畏。倒不是「夕陽一霎時間又向西，留下了晚霞更豔麗」那種五彩斑斕的印象。我眼中的黃昏總是黑白片，安靜凝灣，山水動也不動，沒有彩度只有明暗。人在其中，感覺不出任何動靜，但暮色一寸一寸湧上來。遠遠的山腳，燈才亮起第一盞，不知不覺此起彼落成串都亮起來。這樣靜悄悄天就暗了，暗到山和水的界限模糊了，膝上的書頁字跡不能辨識。等人回過神來，無聲無息大地已經完全吞沒在暮色之中。

我每次從陽台進屋，黑暗迎面撲來，總止不住心驚。明明是一點一點暗下來，但人在其中渾然不覺，等知覺到，就已經暗得全然無法收拾。我本來想，人真是後知後覺，一定要到黑暗得沒有辦法才會醒悟。後來又想，這是人適應環境的能力所致。習慣了周遭，感覺就漸漸遲鈍，黃昏暮色毫不知覺。等真正天色全黑了才來吃驚，雖是後知後覺，不知算不算亡羊補牢。

這樣的感想，很容易適用人生在世。很少時候黑暗是真正突如其來。敗壞總是一寸一寸在發生，幾乎是在人的容忍和適應之下發生。今天大家義憤填膺談官商勾結，談金權政治關說貪汙，甚至談南韓見利忘義捨棄兄弟，其實這些事沒有一件不是經過預警而發生。

大驚小怪彷彿天理不容，人坐在暮色中，明明眼見著周邊一寸一寸暗下去，但非到全黑不能自覺。這是人天生而來的侷限嗎？還是因循怠惰所致？要逼迫自己正視自己的弱點，真是難堪。

周汝昌談《紅樓夢》，認為林黛玉的苦不在外在處境，而在「代其人而惜之」。寶玉不是不知她深情至意，但心中自有主意，在姊妹間「就是為這些人死了，也是願意的」。既是自願，以黛玉知他之深，只能隨他。所以周汝昌說這是黛玉的「萬苦之源」，但也「萬苦無怨」。我每次讀到這段，總免不了——說起來矯情，但確實如此——想起歷來知識分子的處境。他們的悲天憫人，除非深切體會對方心意，否則免不了自怨怨人。我坐在暗中看書，時常先生從外面進來，埋怨我一句要把眼睛看壞了，啪地一聲把燈打開。這伸手開燈滿屋明亮，有時提醒了我暮色已至。但也有些時候，對於自甘居於暗中的人，未嘗不是自作多情。所以你眼看著天暗了又如何？世間幾人能得黛玉的萬苦無怨呢！

一九九二・八・二十五／聯合報／三九版／聯合副刊

如鯁在喉

這不僅僅是一個借題發揮的「如鯁在喉」的故事，而是確實有一根魚刺在我的喉嚨裡。兩天之中去了三次醫院才終於把它拿出來。麻煩的地方不只是魚刺，而是我。醫生稍微要往舌根深處檢查，我就要吐。三番兩次折騰，連醫生都很氣餒。「沒看過 reflect（反射，反映）這麼強的人！」其中一個醫生幾乎有點生氣地這麼說。

我無功而返，帶著如鯁在喉的感覺，和醫生對我「reflect 很強」的評語。對魚刺和這個評語都很不服氣。先生說：「沒辦法。我看這不但是你的體質，而且是性格。」我雖然病得奄奄一息，無力辯駁，受此揶揄，還是有些感想不吐不快。照醫生所說，確實有些人體質特別，反射比較強，例如我。正巧性格也如此，才授人話柄，從小到大受到父母師長朋友讀者不少教訓。漸漸步入中年，心情有些改變，覺悟到各人觀察角度不同，同一件事的確可能得到不同的結論。有件事一直記在我心裡。兩年前學校有了充裕的經費，老師的研究室每間添了一部電腦和普通印表機。一回我向朋友抱怨，這樣用錢十分沒有效率。印表機用得少，與其每人一部，不如全系共用一兩部性能好的雷射印表機。沒想到朋友聽了一臉欽羨之情，完全不理會我抱怨的重點：「真好啊！台灣現在能做到大學教授每人都有電腦和印表機。我們國家現在這麼有錢了，真不容易。」我當時如遭當頭棒喝。剛回國時候，全系只有兩部英文打字機，只能登記借用。今昔相比確如天壤。雖說還不能盡如人意，但也不到需要大力撻伐的地步。我常拿這件事警惕自己。「reflect很強」，雖說是天性，但人生漸漸有了閱歷，多麼率性也要加入後天的思考判斷。但話又說回來。雖然有些事情是因為各人「體質」不同而生出特別強烈的反應，醫生判定之後只能搖頭，但若客觀環境中確實有魚刺在喉，任何人都會覺得不吐不快。我有一次聽人說，台北的計程車司機是全世界最擅於政治演說的人。我自己才下飛機，回台北的一小時車程中，已經由司機替我補足了過去半月來台灣的政治要聞。從颱風過後滿地坑洞說起，民意代表介入公共工程，捷運工程落後預算超前，市長座車橫行公車道，南京東路逆向公車多麼荒謬，等等等等。之後兩三天，我坐計程車，只要從「今天路真不好走」開端，必能引起司機先生滔滔不絕的時事評論。每個人各有主張，但憤懣之情大抵一致。你說他們是不是偏巧都被醫生歸為體質特別「reflect很強」的那一類型的人呢？或者不過如鯁在喉而已？

如鯁在喉，非到魚刺取出不能紓解。醫生警告我，身體反射這麼強，最壞的狀況，全身麻醉了才能把魚刺取出。對付反應強烈的人，麻醉倒是方便的手段，但魚刺終歸要處理。我看很多事情，當今之計只為麻醉。例如六年國建不理財源問題，為維持出口競爭力而由社會付出環保和勞工福利的成本，為維持政府控制而遲緩自由化和民營化的腳步。只管麻醉，不理魚刺，怎麼算得上好醫生？病人如鯁在喉的感覺怎麼會平白消失呢！

一九九二・九・八／聯合報／三九版／聯合副刊

羊憶蓉年表

一九五七年五月—二〇一九年二月

出生於台北縣永和市（現新北市永和區）

永和培元幼稚園
永和育才小學
台北市私立再興中學
台北市立第一女子高級中學
國立台灣大學商學院國際貿易系
美國芝加哥大學　行為科學碩士
美國加州大學洛杉磯分校　社會心理學博士

主要經歷

國語日報　小作家／少年作家
中央社　記者（一九七九—一九八〇）

國立台灣師範大學社會教育系　副教授／教授（一九八五—一九九八）
聯合報言論部　主筆兼召集人（一九九八—一九九九）
聯合報言論部　副總主筆（一九九九—二〇〇八）
聯合晚報事業處言論部　總主筆（二〇〇八—二〇一四）
聯合報事業處　顧問（二〇一四—二〇一九）
聯合報／聯合副刊　黑白集／羊憶蓉隨筆專欄作者（一九八九—二〇一九）
浩然營第四屆至第七屆　籌備、規劃（一九九五—二〇〇一）
公共電視文化事業基金會　理事（第二屆）
財團法人前瞻文教基金會　董事（第六屆）

著作

《中國歷代大畫家小傳》，台北：國語日報，一九七八。
《教育與國家發展：台灣經驗》，台北：桂冠，一九九〇。
《台灣的教育改革》（與林全等合著），台北：前衛，一九九四。
羊憶蓉隨筆I《太陽下山明朝依舊爬上來》，新北市：聯經，二〇一九。
羊憶蓉隨筆II《媽媽終於可以隨心所欲了》，新北市：聯經，二〇一九。

永遠的太陽

照片集

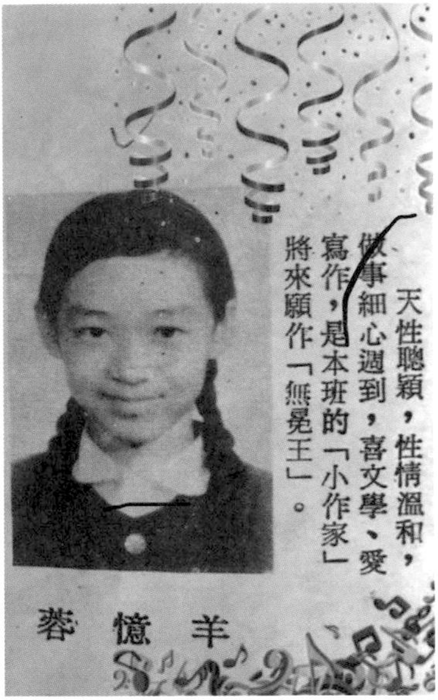
天性聰穎，性情溫和，
做事細心週到，喜文學、愛
寫作，是本班的「小作家」
將來願作「無冕王」。
羊憶蓉

國小時期

寫得好說得對
能說會寫
坐下去能寫
站起來會說

國小時期

國小時期

童年時代與家人和同學

高中時期

高中時期

大學畢業

國外求學旅遊照

芝大校園

芝大畢業

國外旅遊

憶蓉與紹樑合影

碼頭合影

1980年回台見家長

1980年回台見家長

加州旅遊

中英研討會

1990 年第一屆浩然營於加州

1995 年第四屆浩然營於海園

2001年第七屆浩然營於加州

羊憶蓉隨筆I

太陽下山明朝依舊爬上來

2019年5月初版 定價：新臺幣380元

著者	羊憶蓉
叢書編輯	張擎
校對	馬文穎
內文排版	極翔排版公司
封面設計	兒日
編輯主任	陳逸華

出版者	聯經出版事業股份有限公司
地址	新北市汐止區大同路一段369號1樓
編輯部地址	新北市汐止區大同路一段369號1樓
叢書主編電話	(02)86925588轉5321
台北聯經書房	台北市新生南路三段94號
電話	(02)23620308
台中分公司	台中市北區崇德路一段198號
暨門市電話	(04)22312023
台中電子信箱	e-mail：linking2@ms42.hinet.net
郵政劃撥	帳戶第0100559-3號
郵撥電話	(02)23620308
印刷者	世和印製企業有限公司
總經銷	聯合發行股份有限公司
發行所	新北市新店區寶橋路235巷6弄6號2樓
電話	(02)29178022

總編輯	胡金倫
總經理	陳芝宇
社長	羅國俊
發行人	林載爵

行政院新聞局出版事業登記證局版臺業字第0130號

本書如有缺頁，破損，倒裝請寄回台北聯經書房更換。 ISBN 978-957-08-5314-8 (平裝)
聯經網址：www.linkingbooks.com.tw
電子信箱：linking@udngroup.com

國家圖書館出版品預行編目資料

太陽下山明朝依舊爬上來/羊憶蓉著．初版．
新北市．聯經．2019年5月（民108年）．376面．14.8×
21公分（羊憶蓉隨筆I）
ISBN 978-957-08-5314-8（平裝）

1.言論集 2.時事評論

078 108006726